C000129884

Dieser Band enthält – in englisch-deutschem Paralleldruck –
drei Erzählungen der Großmeisterin Agatha Christie (1890 bis
1976), drei Kriminalfälle –

nun ja, der erste ist gerade eine Fingerübung für Hercule
Poirot (warnend erhobener Zeigefinger für kleine Mädchen),
unblutig . . .

in der zweiten geht es um ein schaurig-schönes Schloß (und
kein Alibi hindert Miss Marple daran, nachdenklich weiter zu
hüsteln) . . .

in der dritten geht es – geht es um Le . . . – geht es um Alix
Martin, geb. King (und jedes weitere Wort auf Seite 1 wäre
schon zu viel).

dtv zweisprachig · Edition Langewiesche-Brandt

Agatha Christie

Hercule Poirot, Miss Marple and . . .
(Three Whodunits)

Hercule Poirot, Miss Marple und . . .
(Drei Fälle)

Übersetzung: Angela Uthe-Spencker

Deutscher Taschenbuch Verlag

Deutscher Taschenbuch Verlag GmbH & Co. KG, München
1. Auflage 1984. 8. Auflage Februar 1993
Die Doppelsünde (Double Sin) © 1928 by Agatha Christie;
Greenshaws Wahn (Greenshaw's Folly) © 1956 by Agatha
Christie Ltd.; Landhaus Philomele (Philomel Cottage) © 1924
by Agatha Christie. Lizenzausgabe mit Genehmigung des Scherz
Verlages, Bern und München (deutsche Rechte) und der Agatha
Christie Ltd., London (englische Rechte).
Aus urheberrechtlichen Gründen darf diese zweisprachige Aus-
gabe nicht im British Commonwealth und in den USA verkauft
werden.
Umschlaggestaltung: Celestino Piatti
Gesamtherstellung: Kösel, Kempten
ISBN 3-423-09118-5. Printed in Germany

I had called in at my friend Poirot's rooms to find him sadly overworked. So much had he become the rage that every rich woman who had mislaid a bracelet or lost a pet kitten rushed to secure the services of the great Hercule Poirot.

My little friend was a strange mixture of Flemish thrift and artistic fervor. He accepted many cases in which he had little interest owing to the first instinct being predominant.

He also undertook cases in which there was a little or no monetary reward sheerly because the problem involved interested him. The result was that, as I say, he was overworking himself. He admitted as much himself, and I found little difficulty in persuading him to accompany me for a week's holiday to that well-known South Coast resort, Ebermouth.

We had spent four very agreeable days when Poirot came to me, an open letter in his hand.

"*Mon ami*, you remember my friend Joseph Aarons, the theatrical agent?"

I assented after a moment's thought. Poirot's friends are so many and so varied, and range from dustmen to dukes.

"*Eh bien*, Hastings, Joseph Aarons finds himself at Charlock Bay. He is far from well, and there is a little affair that it seems is worrying him. He begs me to go over and see him. I think, *mon ami*, that I must accede to his request. He is a faithful friend, the good Joseph Aarons, and has done much to assist me in the past."

"Certainly, if you think so," I said. "I believe Charlock Bay is a beautiful spot, and as it happens I've never been there."

"Then we combine business with pleasure," said Poirot. "You will inquire the trains, yes?"

"It will probably mean a change or two," I said with a grimace. "You know what these cross-country

DIE DOPPELSÜNDE

Ich hatte meinen Freund Poirot kurz in seiner Wohnung aufgesucht und ihn arg überarbeitet vorgefunden. So sehr war er groß in Mode gekommen, daß jede reiche Frau, die ein Armband verlegt oder ein gehätscheltes Kätzchen verloren hatte, loseilte, um sich der Dienste des großen Hercule Poirot zu versichern. Mein kleiner Freund war eine merkwürdige Mischung aus flämischer Geschäftstüchtigkeit und künstlerischer Leidenschaft. Vieler Fälle, die ihn nur wenig faszinierten, nahm er sich an – einzig aus dem spontanen Gespür, der Überlegene zu sein.

Ebenso befaßte er sich mit Fällen, in denen für ihn wenig oder gar kein Entgelt steckte, einfach weil das fragliche Problem ihn lockte. Die Folge war, wie schon gesagt, daß er sich überarbeitete. Er gestand es sich auch so ziemlich ein, und ich hatte nur geringe Schwierigkeiten ihn zu überreden, mich für eine Woche Ferien nach Ebermouth, jenem bekannten Bad an der Südküste, zu begleiten.

Wir hatten vier sehr behagliche Tage verbracht, als Poirot mit einem geöffneten Brief in der Hand zu mir kam.

«Mon ami, du erinnerst dich meines Freundes Joseph Aarons, des Theateragenten?»

Nach kurzem Überdenken stimmte ich zu. Poirot's Freunde sind so zahlreich und so mannigfaltig, und sie reichen von Müllkutschern bis zu Grafen.

«Eh bien, Hastings, Joseph Aarons hält sich in Charlock Bay auf. Er befindet sich keineswegs wohl, und da ist eine kleine Sache, die ihm Sorgen zu machen scheint. Er bittet mich zu einem Besuch hinüberzukommen. Ich denke, mon ami, daß ich auf seinen Wunsch eingehen muß. Er ist ein zuverlässiger Freund, der gute Joseph Aarons, und hat mir in der Vergangenheit oft beigestanden.»

«Selbstverständlich, wenn du der Ansicht bist», sagte ich. «Charlock Bay ist sicherlich ein wunderschöner Flecken, und wie es der Zufall will, ich bin nie dort gewesen.»

«Dann verbinden wir die Pflicht mit dem Vergnügen», sagte Poirot. «Du erkundigst dich nach den Zügen, ja?»

«Das heißt wahrscheinlich ein oder zweimal Umsteigen», sagte ich und verzog das Gesicht. «Du weißt ja, wie diese Eisen-

lines are. To go from the South Devon coast to the North Devon coast is sometimes a day's journey."

However, on inquiry, I found that the journey could be accomplished by only one change at Exeter and that the trains were good. I was hastening back to Poirot with the information when I happened to pass the offices of the Speedy cars and saw written up:

Tomorrow. All-day excursion to Charlock Bay. Starting 8 : 30 through some of the most beautiful scenery in Devon.

I inquired a few particulars and returned to the hotel full of enthusiasm. Unfortunately, I found it hard to make Poirot share my feelings.

"My friend, why this passion for the motor coach? The train, see you, it is sure. The tires, they do not burst; the accidents, they do not happen. One is not incommoded by too much air. The windows can be shut and no drafts admitted."

I hinted delicately that the advantage of fresh air was what attracted me most to the motor-coach scheme.

"And if it rains? Your English climate is so uncertain."

"There's a hood and all that. Besides, if it rains badly, the excursion doesn't take place."

"Ah!" said Poirot. "Then let us hope that it rains."

"Of course, if you feel like that and..."

"No, no, *mon ami*. I see that you have set your heart on the trip. Fortunately, I have my great coat with me and two mufflers." He sighed. "But shall we have sufficient time at Charlock Bay?"

"Well, I'm afraid it means staying the night there. You see, the tour goes round by Dartmoor. We have lunch at Monkhampton. We arrive at Charlock Bay about four o'clock, and the coach starts back at five, arriving here at ten o'clock."

"So!" said Poirot. "And there are people who do this for pleasure! We shall, of course, get a reduction of the fare since we do not make the return yourney?"

bahnlinien über Land sind. Von der Südküste Devons zur Nord-küste Devons bedeutet es manchmal eine Tagesreise.»

Doch als ich mich erkundigte, erfuhr ich, daß die Reise mit nur einmal Umsteigen in Exeter bewerkstelligt werden konnte und daß es schnelle Züge waren. Ich eilte gerade mit dieser Auskunft zurück zu Poirot, als ich zufällig an den Schaltern der Überlandbusse vorbeikam und angeschlagen sah:

Morgen. Tagesausflug nach Charlock Bay. Start 8 Uhr 30 zur Fahrt durch einige der schönsten Gegenden Devons.

Ich erfrug einige Einzelheiten und kehrte voller Begeisterung ins Hotel zurück. Leider erwies es sich als schwierig, Poirot zu bewegen, meine Gefühle zu teilen.

«Mein Freund, warum diese Leidenschaft für den Autobus? Die Eisenbahn, schau, sie ist zuverlässig. Ihre Reifen, sie plat-zen nicht; die Unfälle, sie ereignen sich nicht. Man wird auch nicht durch zu viel Luft belästigt. Die Fenster können geschlos-sen und die Zugluft unterbunden werden.»

Ich deutete taktvoll an, daß es der Vorteil frischer Luft war, der mich an diesem Autobusplan am meisten reizte.

«Und wenn es regnet? Euer englisches Klima ist so unzuver-lässig.»

«Es gibt ja ein Verdeck und dergleichen. Außerdem, wenn es stark regnet, findet der Ausflug nicht statt.»

«Ah!» sagte Poirot. «Dann wollen wir hoffen, daß es regnet.»

«Natürlich, wenn dir so zu Mute ist und...»

«Nein, nein, mon ami. Ich sehe, daß dein Herz an diesem Ausflug hängt. Glücklicherweise habe ich meinen dicken Mantel dabei und zwei Schals.» Er seufzte. «Werden wir denn in Char-dock Bay genügend Zeit haben?»

«Nun, ich fürchte, es bedeutet, daß wir dort übernachten müssen. Der Ausflug führt nämlich über Dartmoor. Zu Mittag essen wir in Monkhampton. In Charlock Bay kommen wir ge-gen vier Uhr an, und um fünf kehrt der Bus wieder um und kommt hier um zehn Uhr an.»

«So ist das!» sagte Poirot. «Und es gibt Menschen, die das zum Vergnügen tun! Wir erhalten natürlich eine Fahrpreis-ermäßigung, da wir die Rückfahrt nicht mitmachen?»

"I hardly think that's likely."

"You must insist."

"Come now, Poirot, don't be mean. You know you're coining money."

"My friend, it is not the meanness. It is the business sense. If I were a millionaire, I would pay only what was just and right."

As I had foreseen, however, Poirot was doomed to fail in this respect. The gentleman who issued tickets at the Speedy office was calm and unimpassioned but adamant. His point was that we ought to return. He even implied that we ought to pay extra for the privilege of leaving the coach at Charlock Bay.

Defeated, Poirot paid over the required sum and left the office.

"The English, they have no sense of money," he grumbled. "Did you observe a young man, Hastings, who paid over the full fare and yet mentioned his intention of leaving the coach at Monkhampton?"

"I don't think I did. As a matter of fact..."

"You were observing the pretty young lady who booked No. 5, the next seat to ours. Ah! Yes, my friend, I saw you. And that is why when I was on the point of taking seats No. 13 and 14 – which are in the middle and as well sheltered as it is possible to be – you rudely pushed yourself forward and said that 3 and 4 would be better."

"Really, Poirot," I said, blushing.

"Auburn hair – always the auburn hair!"

"At any rate, she was more worth looking at than an odd young man."

"That depends upon the point of view. To me, the young man was interesting."

Something rather significant in Poirot's tone made me look at him quickly. "Why? What do you mean?"

"Oh! Do not excite yourself. Shall I say that he interested me because he was trying to grow a mustache and as yet the result is poor." Poirot stroked his own magnificent mustache tenderly. "It is an art," he

«Das halte ich kaum für wahrscheinlich.»

«Du mußt darauf bestehen.»

«Komm, Poirot, sei nicht knauserig. Du weißt, daß du Geld wie Heu verdienst.»

«Mein Freund, es geht nicht um Knauserei. Es geht um Geschäftssinn. Selbst wenn ich Millionär wäre, würde ich nur das zahlen, was angemessen und richtig ist.»

Aber wie ich vermutet hatte, war Poirot in dieser Hinsicht zum Scheitern verurteilt. Der Herr, der am Schalter für Schnellbusse Fahrkarten ausstellte, war ruhig und völlig entspannt, aber unnachgiebig. Er war der Ansicht, daß wir mit zurückkehren sollten. Er bedeutete sogar, daß wir extra zahlen sollten für die Vergünstigung, den Bus in Charlock Bay zu verlassen.

Poirot gab sich geschlagen, zahlte die geforderte Summe und verließ das Büro.

«Die Engländer, die haben kein Gefühl für Geld», murrte er. «Ist dir ein junger Mann aufgefallen, Hastings, der den vollen Fahrpreis zahlte, und dennoch die Absicht äußerte, den Bus in Monkhampton zu verlassen?»

«Nein, ich glaube nicht. Um die Wahrheit zu sagen ...»

«Du hattest deine Augen bei der hübschen jungen Dame, die Nr. 5 buchte, den nächsten Platz neben den unseren. Ah! Ja, mein Freund, ich habe dich bemerkt. Als ich gerade die Sitze Nr. 13 und 14 nehmen wollte – die in der Mitte liegen, so gut geschützt wie überhaupt möglich – drängtest du dich nämlich deshalb unfein vor und sagtest, daß 3 und 4 besser wären.»

«Wirklich, Poirot», sagte ich errötend.

«Kastanienbraunes Haar – immer das kastanienbraune Haar!»

«Wie auch immer, es lohnte sich mehr, sie anzuschauen, als einen komischen jungen Mann.»

«Das kommt auf den Gesichtspunkt an. Mich fesselte der junge Mann.»

Etwas recht Vielsagendes in Poirots Ton ließ mich rasch zu ihm hinblicken. «Warum? Was willst du damit sagen?»

«Oh! Reg dich nicht auf. Mag sein, daß er mich fesselte, weil er versucht hat sich einen Schnurrbart wachsen zu lassen und das Ergebnis bislang armselig ist.» Poirot strich zärtlich seinen eigenen prachtvollen Schnurrbart. «Es ist eine Kunst»,

murmured, "the growing of the mustache! I have sympathy for all who attempt it."

It is always difficult with Poirot to know when he is serious and when he is merely amusing himself at one's expense. I judged it safest to say no more.

The following morning dawned bright and sunny. A really glorious day! Poirot, however, was taking no chances. He wore a woolly waistcoat, a mackintosh, a heavy overcoat, and two mufflers, in addition to wearing his thickest suit. He also swallowed two tablets of "Antigrippe" before starting and packed a further supply.

We took a couple of small suitcases with us. The pretty girl we had noticed the day before had a small suitcase, and so did the young man whom I gathered to have been the object of Poirot's sympathy. Otherwise, there was no luggage. The four pieces were stowed away by the driver, and we all took our places.

Poirot, rather maliciously, I thought, assigned me the outside place as "I had the mania for the fresh air" and himself occupied the seat next to our fair neighbor. Presently, however, he made amends. The man in seat 6 was a noisy fellow, inclined to be facetious and boisterous, and Poirot asked the girl in a low voice if she would like to change seats with him. She agreed gratefully, and, the change having been effected, she entered into conversation with us and we were soon all three chattering together merrily.

She was evidently quite young, not more than nineteen, and as ingenuous as a child. She soon confided to us the reason for her trip. She was going, it seemed, on business for her aunt who kept a most interesting antique shop in Ebermouth.

This aunt had been left in very reduced circumstances on the death of her father and had used her small capital and a houseful of beautiful things which her father had left to start in business. She had been extremely successful and had made quite a name for herself in the trade. This girl, Mary Durrant, had

murmelte er, «sich einen Schnurrbart wachsen zu lassen! Ich empfinde für alle Wohlwollen, die es versuchen.»

Es ist bei Poirot immer schwierig zu merken, wann er ernst ist, und wann er sich nur auf Kosten anderer belustigt. Ich hielt es für das sicherste, nichts mehr zu sagen.

Der folgende Morgen entfaltete sich heiter und sonnig. Ein wirklich himmlischer Tag! Poirot jedoch wollte keine Risiken eingehen. Er hatte seinen dicksten Anzug angezogen, und zusätzlich trug er eine wollene Weste, eine Regenhaut, einen schweren Überzieher und zwei Schals. Auch schluckte er zwei Tabletten eines Antigrippe-Mittels, bevor er aufbrach, und steckte sich noch weiteren Vorrat ein.

Wir hatten zwei kleine Koffer dabei. Das hübsche Mädchen, das wir den Tag zuvor bemerkt hatten, trug einen kleinen Koffer und so auch der junge Mann, von dem ich annahm, daß er der Gegenstand von Poirots Wohlwollen gewesen war. Sonst gab es kein weiteres Gepäck. Die vier Stücke wurden beim Fahrer verstaut, und wir nahmen alle unsere Plätze ein.

Poirot wies mir, was ich für ziemlich boshaft hielt, den Außenplatz zu, da ‹ich ja die Sucht nach frischer Luft hätte› und nahm selber den Sitz neben unserer reizenden Nachbarin ein. Bald darauf jedoch entschädigte er mich. Der Mann auf Platz 6 war ein lauter Kerl, zu derbem Humor und Lärmerei aufgelegt, und Poirot fragte das Mädchen mit leiser Stimme, ob sie nicht den Platz mit ihm tauschen wolle. Sie willigte dankbar ein, und nachdem der Platzwechsel vollzogen war, begann sie sich mit uns zu unterhalten, und bald schwatzten wir drei fröhlich miteinander.

Sie war offensichtlich ziemlich jung, nicht älter als neunzehn, und unbefangen wie ein Kind. Sie vertraute uns bald den Grund ihrer Reise an. Sie war, wie es schien, in Geschäften für ihre Tante unterwegs, die einen höchst beachtenswerten Antiquitätenladen in Ebermouth führte.

Diese Tante war nach dem Tod ihres Vaters in sehr beschränkten Verhältnissen zurückgeblieben und hatte ihr kleines Kapital sowie ein Haus voll schöner Dinge, die ihr der Vater hinterlassen hatte, benutzt, um ins Geschäft zu kommen. Sie war außerordentlich erfolgreich gewesen und hatte sich in dieser Branche einen ganz schönen Namen gemacht. Dieses Mädchen,

come to be with her aunt and learn the business and was very excited about it – much preferring it to the other alternative – becoming a nursery governess or companion.

Poirot nodded interest and approval to all this.

"Mademoiselle will be successful, I am sure," he said gallantly. "But I will give her a little word of advice. Do not be too trusting, mademoiselle. Everywhere in the world there are rogues and vagabonds, even it may be on this very coach of ours. One should always be on the guard, suspicious!"

She stared at him open-mouthed, and he nodded sapiently.

"But yes, it is as I say. Who knows? Even I who speak to you may be a malefactor of the worst description."

And he twinkled more than ever at her surprised face.

We stopped for lunch at Monkhampton, and, after a few words with the waiter, Poirot managed to secure us a small table for three close by the window. Outside, in a big courtyard, about twenty *char-a-bancs* were parked – *char-a-bancs* which had come from all over the county. The hotel dining room was full, and the noise was rather considerable.

"One can have altogether too much of the holiday spirit," I said with a grimace.

Mary Durrant agreed. "Ebermouth is quite spoiled in the summers nowadays. My aunt says it used to be quite different. Now one can hardly get along the pavements for the crowd."

"But it is good for business, mademoiselle."

"Not for ours particularly. We sell only rare and valuable things. We do not go in for cheap bric-a-brac. My aunt has clients all over England. If they want a particular period table or chair, or a certain piece of china, they write to her, and, sooner or later, she **gets it** for them. That is what has happened in this case."

We looked interested and she went on to explain.

Mary Durrant, war zu ihrer Tante gezogen, um das Geschäft zu erlernen und war mit großem Eifer dabei – sie zog es bei weitem der anderen Möglichkeit vor, Kinderschwester oder Gesellschafterin zu werden.

Poirot nickte zu all dem voller Teilnahme und beifällig. «Mademoiselle wird erfolgreich sein, ganz gewiß», sagte er ritterlich. «Doch möchte ich ihr einen kleinen Ratschlag geben. Seien Sie nicht zu vertrauensselig, Mademoiselle. Überall in der Welt gibt es Gauner und Taugenichtse, sogar vielleicht hier, in eben unserem Bus. Man sollte immer auf der Hut sein, mißtrauisch.»

Sie starrte ihn mit offenem Mund an, und er nickte weise. «Doch sicher, so ist es wirklich. Wer weiß? Selbst ich, der ich zu Ihnen spreche, könnte ein Missetäter sein von der übelsten Sorte.»

Und er schaute mehr denn je verschmitzt wegen ihres erstaunten Gesichtes.

Zum Mittagessen hielten wir in Monkhampton, und nach wenigen Worten mit dem Kellner erreichte es Poirot, uns einen kleinen Tisch für drei Personen nahe dem Fenster zu sichern. Draußen, in einem Hof, standen zwanzig Ausflugsbusse geparkt – Ausflugsbusse, die von überall her aus der Grafschaft gekommen waren. Der Speisesaal des Hotels war gefüllt, und der Lärm war recht beachtlich.

«Man kann von der Urlaubsstimmung durchaus zu viel bekommen», sagte ich und verzog das Gesicht.

Mary Durrant pflichtete mir bei. «Ebermouth ist heutzutage während der Sommer richtig unerfreulich. Meine Tante sagt, daß es früher ganz anders gewesen sei. Jetzt kommt man vor lauter Menschenmassen kaum auf dem Bürgersteig voran.»

«Doch ist es gut fürs Geschäft, Mademoiselle.»

«Nicht unbedingt für unseres. Wir verkaufen nur seltene und wertvolle Stücke. Wir führen keine billigen Andenken. Meine Tante hat in ganz England Kunden. Wenn sie einen Tisch oder Stuhl von besonderem Stil haben wollen oder ein bestimmtes Stück Porzellan, so schreiben sie ihr, und früher oder später verschafft sie es ihnen. So verhält es sich auch in diesem Fall.»

Wir zeigten unsere Neugier und sie fuhr fort zu erklären.

A certain American gentleman, Mr. J. Baker Wood, was a connoisseur and collector of miniatures. A very valuable set of miniatures had recently come into the market, and Miss Elizabeth Penn – Mary's aunt – had purchased them. She had written to Mr. Wood describing the miniatures and naming a price. He had replied at once, saying that he was prepared to purchase if the miniatures were as represented and asking that some one should be sent with them for him to see where he was staying at Charlock Bay. Miss Durrant had accordingly been dispatched, acting as representative for the firm.

"They're lovely things, of course," she said. "But I can't imagine any one paying all that money for them. Five hundred pounds! Just think of it! They're by Cosway. Is it Cosway I mean? I get so mixed up in these things."

Poirot smiled. "You are not yet experienced, eh, mademoiselle?"

"I've had no training," said Mary ruefully. "We weren't brought up to know about old things. It's a lot to learn."

She sighed. Then suddenly, I saw her eyes widen in surprise. She was sitting facing the window, and her glance now was directed out of that window, into the courtyard. With a hurried word, she rose from her seat and almost ran out of the room. She returned in a few moments, breathless and apologetic.

"I'm so sorry rushing off like that. But I thought I saw a man taking my suitcase out of the coach. I went flying after him, and it turned out to be his own. It's one almost exactly like mine. I felt like such a fool. It looked as though I were accusing him of stealing it."

She laughed at the idea.

Poirot, however, did not laugh. "What man was it, mademoiselle? Describe him to me."

"He had on a brown suit. A thin weedy young man with a very indeterminate mustache."

Ein gewisser amerikanischer Herr, Mr. J. Baker Wood, war Kenner und Sammler von Miniaturen. Eine sehr kostbare Miniaturenreihe war vor kurzem auf den Markt gekommen, und Miss Elizabeth Penn – Marys Tante – hatte sie erworben. Sie hatte Mr. Wood eine Beschreibung der Miniaturen gesandt und den Preis genannt. Er hatte umgehend geantwortet mit der Mitteilung, daß er zum Kauf entschlossen wäre, wenn die Miniaturen der Schilderung entsprächen und mit der Bitte, daß jemand ihn in Charlock Bay, wo er sich aufhielte, damit aufsuchen möge, damit er sie sich anschauen könne. Demgemäß war Miss Durrant losgeschickt worden und fungierte als Bevollmächtigte der Firma.

«Es sind bezaubernde Stücke, natürlich», sagte sie. «Doch kann ich mir niemanden vorstellen, der so viel Geld für sie hergibt. Fünfhundert Pfund! Muß man sich vorstellen! Sie sind von Cosway. Oder, ist es wirklich Cosway? Ich gerate in diesen Dingen so durcheinander.»

Poirot schmunzelte. «Sie sind noch nicht sehr bewandert, wie, Mademoiselle?»

«Ich habe noch keine Übung», sagte Mary kleinlaut. «Wir sind nicht so aufgewachsen, daß wir uns mit Antiquitäten auskennen. Es gibt noch viel zu lernen.»

Sie seufzte. Dann plötzlich sah ich, wie ihre Augen sich vor Überraschung weiteten. Sie saß mit dem Gesicht zum Fenster, und ihr Blick war jetzt aus dem Fenster auf den Hof gerichtet. Mit einem hastigen Wort sprang sie auf und rannte fast aus dem Saal. Kurz danach kam sie zurück, atemlos und mit Entschuldigungen.

«Es tut mir leid, daß ich so davonlief. Aber ich glaubte, einen Mann meinen Koffer aus dem Bus nehmen zu sehen. Ich bin ihm nachgeeilt, und es stellte sich heraus, daß es sein eigener war. Fast genau so wie meiner. Ich bin mir so dumm vorgekommen. Es sah aus, als würde ich ihn des Diebstahls bezichtigen.»

Sie lachte über diese Vorstellung. Poirot jedoch lachte nicht. «Was war das für ein Mann, Mademoiselle? Beschreiben Sie ihn mir.»

«Er trug einen braunen Anzug. Ein schmaler, schlaksiger junger Mann mit einem nichtssagenden Schnurrbart.»

"Aha," said Poirot. "Our friend of yesterday, Hastings. You know this young man, mademoiselle. You have seen him before?"

"No, never. Why?"

"Nothing. It is rather curious – that is all."

He relapsed into silence and took no further part in the conversation until something Mary Durrant said caught his attention.

"Eh, mademoiselle, what is that you say?"

"I said that on my return journey I should have to be careful of 'malefactors', as you call them. I believe Mr. Wood always pays for things in cash. If I have five hundred pounds in notes on me, I shall be worth some malefactor's attention."

She laughed but again Poirot did not respond. Instead, he asked her what hotel she proposed to stay at in Charlock Bay.

"The Anchor Hotel. It is small and not expensive, but quite good."

"So!" said Poirot. "The Anchor Hotel. Precisely where Hastings here has made up his mind to stay. How odd!"

He twinkled at me.

"You are staying long in Charlock Bay?" asked Mary.

"One night only. I have business there. You could not guess, I am sure, what my profession is, mademoiselle?"

I saw Mary consider several possibilities and reject them – probably from a feeling of caution. At last, she hazarded the suggestion that Poirot was a conjurer. He was vastly entertained.

"Ah! But it is an idea that! You think I take the rabbits out of the hat? No, mademoiselle. Me, I am the opposite of a conjurer. The conjurer, he makes things disappear. Me, I make things that have disappeared, reappear." He leaned forward dramatically so as to give the words full effect. "It is a secret, mademoiselle, but I will tell you, I am a detective!"

«Aha», sagte Poirot. «Unser Freund von gestern, Hastings. Sie kennen diesen jungen Mann, Mademoiselle. Haben Sie ihn nicht schon mal gesehen?»

«Nein, nie. Warum?»

«Ach nichts. Es ist nur recht merkwürdig – das ist alles.»

Er verfiel in Schweigen und nahm nicht weiter teil an der Unterhaltung, bis Mary Durrant etwas sagte, was seine Aufmerksamkeit weckte.

«Wie bitte, Mademoiselle, was sagen Sie da?»

«Ich sagte, daß ich mich auf meiner Rückreise von ‹Missetätern›, wie Sie es nennen, hüten müsse. Ich glaube, Mr. Wood zahlt die Sachen immer in bar. Wenn ich fünfhundert Pfund in Scheinen bei mir habe, werde ich schon der Aufmerksamkeit irgendeines Missetäters wert sein.»

Sie lachte, doch Poirot gab wiederum keine Antwort. Statt dessen fragte er sie, zu welchem Hotel in Charlock Bay sie ihm rate.

«Zum Hotel Anchor. Es ist klein und nicht teuer, doch recht gut.»

«So!» sagte Poirot. «Im Hotel Anchor. Ausgerechnet dort, wo Hastings sich vorgenommen hat zu wohnen. Welch ein Zufall!»

Er zwinkerte mir zu.

«Bleiben Sie lange in Charlock Bay?» fragte Mary.

«Nur eine Nacht. Ich habe dort geschäftlich zu tun. Ganz bestimmt würden Sie nicht erraten, was ich für einen Beruf habe, Mademoiselle?»

Ich sah Mary verschiedene Möglichkeiten erwägen und wieder verwerfen – vermutlich weil sie etwas Ausgefallenes ahnte. Schließlich wagte sie den Vorschlag, daß Poirot ein Zauberer sei. Er war höchst belustigt.

«Ah! Das ist aber ein Einfall! Sie glauben, ich hole die Kaninchen aus dem Hut? Nein, Mademoiselle. Ich, nein, ich bin das Gegenteil von einem Zauberer. Ein Zauberer, der läßt Dinge verschwinden. Ich aber, ich lasse Dinge, die verschwunden sind, wieder erscheinen.» Er beugte sich theatralisch vor, so als wolle er den Worten volle Wirkung verleihen. «Es ist ein Geheimnis, Mademoiselle, doch Ihnen will ich es sagen, ich bin Detektiv!»

He leaned back in his chair pleased with the effect he had created. Mary Durrant stared at him spellbound. But any further conversation was barred for the braying of various horns outside announced that the road monsters were ready to proceed.

As Poirot and I went out together I commented on the charm of our luncheon companion. Poirot agreed.

"Yes, she is charming. But, also rather silly?"

"Silly?"

"Do not be outraged. A girl may be beautiful and have auburn hair and yet be silly. It is the height of foolishness to take two strangers into her confidence as she has done."

"Well, she could see we were all right."

"That is imbecile, what you say, my friend. Anyone who knows his job – naturally he will appear 'all right.' That little one she talked of being careful when she would have five hundred pounds in money with her. But she has five hundred pounds with her now."

"In miniatures."

"Exactly. In miniatures. And between one and the other, there is no great difference, *mon ami*."

"But no one knows about them except us."

"And the waiter and the people at the next table. And, doubtless, several people in Ebermouth! Mademoiselle Durrant, she is charming, but, if I were Miss Elizabeth Penn, I would first of all instruct my new assistant in the common sense." He paused and then said in a different voice: "You know, my friend, it would be the easiest thing in the world to remove a suitcase from one of those *char-a-bancs* while we were all at luncheon."

"Oh! Come, Poirot, somebody will be sure to see."

"And what would they see? Somebody removing his luggage. It would be done in an open and aboveboard manner, and it would be nobody's business to interfere."

"Do you mean – Poirot, are you hinting – But that fellow in the brown suit – it was his own suitcase?"

Er lehnte sich zurück in seinen Sitz, zufrieden mit der Wirkung, die er erzielt hatte. Mary Durrant starrte ihn gebannt an. Doch jede weitere Unterhaltung wurde unterbunden, denn das durchdringende Getön unterschiedlicher Hupen draußen verkündete, daß die Straßenungeheuer bereit zur Weiterfahrt waren.

Als Poirot und ich gemeinsam hinausgingen, äußerte ich mich über das reizende Wesen unserer Tischgenossin. Poirot stimmte zu.

«Ja, sie ist reizend. Aber auch reichlich einfältig.»

«Einfältig?»

«Sei nicht gleich beleidigt. Ein Mädchen mag hübsch sein und kastanienbraunes Haar haben und doch einfältig sein. Es ist der Gipfel an Torheit, zwei Fremde so ins Vertrauen zu ziehen, wie sie es getan hat.»

«Nun, sie konnte sehen, daß wir redlich waren.»

«Das ist blödsinnig, was du sagst, mein Freund. Jeder, der sein Geschäft versteht, wird natürlich ‹redlich› auftreten. Diese kleine Bemerkung, daß sie sich in acht nehmen müsse, wenn sie fünfhundert Pfund in bar bei sich haben würde. Sie hat schließlich jetzt schon fünfhundert Pfund bei sich.»

«In Miniaturen.»

«So ist es. In Miniaturen. Und zwischen dem einen und dem anderen ist kein großer Unterschied, mon ami.»

«Aber niemand außer uns weiß von ihnen.»

«Und der Kellner und die Leute am Nebentisch. Und, zweifellos, mehrere Personen in Ebermouth! Mademoiselle ist wohl reizend, doch wenn ich Miss Elizabeth Penn wäre, würde ich meine neue Gehilfin als erstes in gesundem Menschenverstand unterweisen.» Er hielt inne und sagte dann mit veränderter Stimme: «Es ist doch klar, mein Freund, daß es das leichteste von der Welt wäre, einen Koffer aus einem jener *char-a-bancs* zu entfernen, während wir alle beim Imbiß waren.»

«Oh! Komm, Poirot, irgend jemand hätte es sicher gesehen.»

«Und was würde man sehen? Jemanden, der sein Gepäck abholt. Es wäre in offenkundiger und ehrlicher Weise geschehen und wäre niemandes Sache gewesen, sich einzumischen.»

«Willst du damit sagen – Poirot, machst du Anspielungen – doch jener Bursche im braunen Anzug – es war sein eigener Koffer?»

Poirot frowned. "So it seems. All the same, it is curious, Hastings, that he should have not removed his suitcase before, when the car first arrived. He has not lunched here, you notice."

"If Miss Durrant hadn't been sitting opposite the window, she wouldn't have seen him," I said slowly.

"And since it was his own suitcase, that would not have mattered," said Poirot. "So let us dismiss it from our thoughts, *mon ami.*"

Nevertheless, when we had resumed our places and were speeding along once more, he took the opportunity of giving Mary Durrant a further lecture on the dangers of indiscretion which she received meekly enough but with the air of thinking it all rather a joke.

We arrived at Charlock Bay at four o'clock and were fortunate enough to be able to get rooms at the Anchor Hotel – a charming old-world inn in one of the side streets.

Poirot had just unpacked a few necessaries and was applying a little cosmetic to his mustache preparatory to going out to call upon Joseph Aarons when there came a frenzied knocking at the door. I called "Come in," and, to my utter amazement, Mary Durrant appeared, her face white and large tears standing in her eyes.

"I do beg your pardon – but – but the most awful thing has happened. And you did say you were a detective?" This to Poirot.

"What has happened, mademoiselle?"

"I opened my suitcase. The miniatures were in a crocodile dispatch case – locked, of course. Now, look!"

She held out a small square crocodile-covered case. The lid hung loose. Poirot took it from her. The case had been forced; great strength must have been used. The marks were plain enough. Poirot examined it and nodded.

"The miniatures?" he asked, though we both knew the answer well enough.

Poirot blickte mißbilligend. «So scheint es. Wie dem auch sei, bleibt es doch merkwürdig, Hastings, daß er seinen Koffer nicht zuvor geholt haben sollte, gleich als der Bus eintraf. Er hat hier nicht zu Mittag gegessen, bedenke das.»

«Wenn Miss Durrant nicht gegenüber dem Fenster gesessen hätte, würde sie ihn nicht gesehen haben», sagte ich langsam.

«Und da es sein eigener Koffer war, tut es nichts zur Sache», sagte Poirot. «Wollen wir es also aus unseren Gedanken streichen, mon ami.»

Trotz alledem sah er sich, als wir unsere Plätze wieder eingenommen hatten und abermals dahinrasten, veranlaßt, Mary Durrant eine weitere Predigt über die Gefahren der Gutgläubigkeit zu halten, welche sie hinlänglich demütig aufnahm, aber mit einer Miene, als halte sie das alles so ziemlich für einen Scherz.

Wir trafen um vier Uhr in Charlock Bay ein, und es war uns zum Glück noch möglich, Zimmer im Hotel Anchor zu bekommen – einem entzückenden, altväterischen Wirtshaus in einer der Seitenstraßen.

Poirot hatte eben einige Utensilien ausgepackt und unterzog gerade seinen Schnurrbart einer Verschönerung in Hinblick auf seinen bevorstehenden Besuch bei Joseph Aarons, als heftig an die Tür geklopft wurde. Ich rief «Herein», und zu meinem äußersten Erstaunen erschien Mary Durrant, mit bleichem Gesicht und dicken Tränen in den Augen.

«Entschuldigen Sie bitte vielmals – aber – aber etwas ganz Furchtbares ist geschehen. Sagten Sie nicht, Sie seien Detektiv?» Das zu Poirot.

«Was ist geschehen, Mademoiselle?»

«Ich öffnete meinen Koffer. Die Miniaturen waren in einer krokodilledernen Depeschenkassette – verschlossen, natürlich. Und nun sehen Sie!»

Sie hielt eine schmale quadratische mit Krokodilleder überzogene Kassette hin. Der Deckel hing lose. Poirot nahm sie ihr ab. Die Kassette war erbrochen worden; es war wohl ziemlich viel Kraft angewandt worden. Die Spuren waren deutlich genug. Poirot untersuchte sie und nickte.

«Die Miniaturen?» fragte er, obwohl wir beide die Antwort nur allzu wohl wußten.

"Gone. They've been stolen. Oh! What shall I do?"

"Don't worry," I said. "My friend is Hercule Poirot. You must have heard of him. He'll get them back for you if anyone can."

"Monsieur Poirot. The great Monsieur Poirot."

Poirot was vain enough to be pleased at the obvious reverence in her voice. "Yes, my child," he said. "It is I, myself. And you can leave your little affair in my hands. I will do all that can be done. But I fear – I much fear – that it will be too late. Tell me, was the lock of your suitcase forced also?"

She shook her head.

"Let me see it, please."

We went together to her room, and Poirot examined the suitcase closely. It had obviously been opened with a key.

"Which is simple enough. These suitcase locks are all much of the same pattern. *Eh, bien*, we must ring up the police and we must also get in touch with Mr. Baker Wood as soon as possible. I will attend to that myself."

I went with him and asked what he meant by saying it might be too late. "*Mon cher*, I said today that I was the opposite of the conjurer – that I make the disappearing things reappear – but suppose someone has been beforehand with me. You do not understand? You will in a minute."

He disappeared into the telephone box. He came out five minutes later looking very grave. "It is as I feared. A lady called upon Mr. Wood with the miniatures half an hour ago. She represented herself as coming from Miss Elizabeth Penn. He was delighted with the miniatures and paid for them forthwith."

"Half an hour ago – before we arrived here."

Poirot smiled rather enigmatically. "The Speedy cars are quite speedy, but a fast motor from say, Monkhampton would get here a good hour ahead of them at least."

"And what do we do now?"

«Weg. Sie sind gestohlen worden. Oh! Was soll ich tun?»

«Machen Sie sich keine Sorgen», sagte ich. «Mein Freund ist Hercule Poirot. Sie müssen von ihm gehört haben. Wenn irgend jemand, dann wird er sie Ihnen wieder herbeischaffen.»

«Monsieur Poirot. Der große Monsieur Poirot.»

Poirot war eitel genug, um geschmeichelt über die offensichtliche Ehrfurcht in ihrer Stimme zu sein. «Ja, mein Kind», sagte er. «Der bin ich selbst. Und Sie können Ihre kleine Angelegenheit meinen Händen anvertrauen. Ich werde alles tun, was getan werden kann. Doch befürchte ich – befürchte sogar sehr – daß es zu spät sein wird. Sagen Sie, war das Schloß Ihres Koffers auch erbrochen?»

Sie schüttelte den Kopf.

«Erlauben Sie, daß ich ihn mir ansehe?»

Wir gingen gemeinsam zu ihrem Zimmer, und Poirot untersuchte den Koffer eingehend. Er war sichtlich mit einem Schlüssel geöffnet worden.

«Was auch leicht genug ist. Diese Kofferschlösser sind so ziemlich alle vom gleichen Muster. Eh, bien, wir müssen die Polizei anrufen, und wir müssen auch so rasch wie möglich mit Mr. Baker Wood Verbindung aufnehmen. Ich werde das selber besorgen.»

Ich begleitete ihn und fragte, was er gemeint habe, als er sagte, daß es möglicherweise zu spät sei. «Mon cher, ich sagte heute, daß ich das Gegenteil von einem Zauberer sei – daß ich die verschwundenen Gegenstände wieder erscheinen lasse – doch angenommen, jemand wäre mir zuvorgekommen. Du kannst mir nicht folgen? Du wirst es in einer Minute.»

Er verschwand in der Telefonzelle. Fünf Minuten später kam er wieder heraus und sah sehr ernst aus. «Es ist so, wie ich befürchtete. Eine Dame hat vor einer halben Stunde mit den Miniaturen bei Mr. Wood vorgesprochen. Sie stellte sich als Abgesandte von Miss Elizabeth Penn vor. Er war von den Miniaturen begeistert und zahlte für sie auf der Stelle.»

«Vor einer halben Stunde – noch bevor wir hier eintrafen.»

Poirot lächelte ziemlich geheimnisvoll. «Die Schnellbusse sind zwar schnell, doch ein rasches Auto, sagen wir ab Monkhampton, würde eine Stunde mindestens vor ihnen eintreffen.»

«Und was fangen wir jetzt an?»

"The good Hastings – always practical. We inform the police, do all we can for Miss Durrant, and – yes, I think decidedly, we have an interview with Mr. J. Baker Wood."

We carried out this program. Poor Mary Durrant was terribly upset, fearing her aunt would blame her.

"Which she probably will," observed Poirot, as we set out for the Seaside Hotel where Mr. Wood was staying. "And with perfect justice. The idea of leaving five hundred pounds' worth of valuables in a suitcase and going to lunch! All the same, *mon ami*, there are one or two curious points about the case. That dispatch box, for instance, why was it forced?"

"To get out the miniatures."

"But was not that a foolishness? Say our thief is tampering with the luggage at lunch time under the pretext of getting out his own.

Surely it is much simpler to open the suitcase, transfer the dispatch case unopened to his own suitcase, and get away, than to waste the time forcing the lock?"

"He had to make sure the miniatures were inside."

Poirot did not look convinced, but, as we were just being shown into Mr. Wood's suite, we had no time for more discussion.

I took an immediate dislike to Mr. Baker Wood.

He was a large vulgar man, very much overdressed and wearing a diamond solitaire ring. He was blustering and noisy.

Of course, he'd not suspected anything amiss. Why should he? The woman said she had the miniatures all right. Very fine specimens, too! Had he the numbers of the notes? No, he hadn't. And who was Mr. – er – Poirot, anyway, to come asking him all these questions?

"I will not ask you anything more, monsieur, except for one thing. A description of the woman who called upon you. Was she young and pretty?"

«Der gute Hastings – immer praktisch. Wir benachrichtigten die Polizei, tun für Miss Durrant, was wir können, und – ja, ich bin entschlossen, daß wir mit Mr. Baker Wood eine Unterredung führen.»

Nach diesem Plan gingen wir vor. Die arme Mary Durrant war schrecklich unglücklich in der Furcht, ihre Tante werde ihr Vorwürfe machen.

«Was sie höchstwahrscheinlich auch tun wird», bemerkte Poirot, als wir uns auf den Weg zum Seaside Hotel machten, wo Mr. Wood sich aufhielt. «Und das mit vollem Recht. Die Vorstellung, Kostbarkeiten im Wert von fünfhundert Pfund in einem Koffer zu lassen und essen zu gehen? Gleichviel, mon ami, es gibt ein oder zwei Merkwürdigkeiten um diesen Fall. Zum Beispiel diese Depeschendose, warum wurde sie erbrochen?»

«Um die Miniaturen herauszuholen.»

«Aber war das nicht eine Dummheit? Sagen wir, unser Dieb macht sich während der Mittagszeit bei dem Gepäck zu schaffen unter dem Vorwand, sein eigenes herauszuholen. Sicherlich ist es viel einfacher den Koffer zu öffnen, die Depeschenkassette ungeöffnet in seinen eigenen Koffer zu befördern und sich davonzumachen, als Zeit zu vergeuden, indem er das Schloß aufbricht?»

«Er mußte sicher gehen, daß die Miniaturen darinnen waren.»

Poirot sah nicht überzeugt aus, doch da wir gerade in Mr. Woods Appartement geführt wurden, hatten wir keine Zeit zu weiterer Besprechung.

Ich hatte sofort eine Abneigung gegen Mr. Baker Wood.

Er war ein großer rüder Mann, übertrieben gekleidet, und trug einen Diamantring mit einem Solitär. Er war großmäulig und geräuschvoll.

Natürlich hatte er nichts Betrügerisches geargwöhnt. Warum sollte er? Die Frau sagte, es hätte mit den Miniaturen seine Richtigkeit. Sehr feine Stücke dazu noch! Ob er die Nummern der Banknoten habe? Nein, nicht. Und wer wäre Mr. – eh – Poirot überhaupt, daß er komme und ihm alle diese Fragen stelle?

«Ich will Sie nichts weiter mehr fragen, Monsieur, außer einer Sache. Eine Beschreibung der Frau, die Sie aufsuchte. War sie jung und hübsch?»

"No, sir, she was not. Most emphatically not. A tall woman, middle-aged, grey hair, blotchy complexion and a budding mustache. A siren? Not on your life."

"Poirot," I cried, as we took our departure. "A mustache. Did you hear?"

"I have the use of my ears, thank you, Hastings."

"But what a very unpleasant man."

"He has not the charming manner, no."

"Well, we ought to get the thief all right," I remarked. "We can identify him."

"You are of such a naive simplicity, Hastings. Do you not know that there is such a thing as an alibi?"

"You think he will have an alibi?"

Poirot replied unexpectedly: "I sincerely hope so."

"The trouble with you is," I said, "that you like a thing to be difficult."

"Quite right, *mon ami*. I do not like – how do you say it – the bird who sits!"

Poirot's prophecy was fully justified. Our traveling companion in the brown suit turned out to be a Mr. Norton Kane. He had gone straight to the George Hotel at Monkhampton and had been there during the afternoon. The only evidence against him was that of Miss Durrant who declared that she had seen him getting out his luggage from the car while we were at lunch.

"Which in itself is not a suspicious act," said Poirot meditatively.

After that remark, he lapsed into silence and refused to discuss the matter any further, saying when I pressed him, that he was thinking of mustaches in general, and that I should be well advised to do the same.

I discovered, however, that he had asked Joseph Aarons – with whom he spent the evening – to give him every detail possible about Mr. Baker Wood. As both men were staying at the same hotel, there was a chance of gleaning some stray crumbs of information. Whatever Poirot learned, he kept to himself, however.

«Nein, mein Herr, das war sie nicht. Ganz entschieden nicht. Eine große Frau, mittleren Alters, graue Haare, fleckige Hautfarbe und ein sprießender Schnurrbart. Eine Sirene? Nie im Leben.»

«Poirot», rief ich, als wir uns verabschiedeten. «Ein Schnurrbart. Hast du gehört?»

«Ich habe Ohren, um zu hören, danke, Hastings.»

«Doch was für ein höchst unerfreulicher Mann.»

«Er hat kein einnehmendes Wesen, nein.»

«Nun, den Dieb sollten wir wohl bekommen», bemerkte ich. «Wir können ihn identifizieren.»

«Du bist ja von so rührender Einfalt, Hastings. Weißt du denn nicht, daß es so etwas wie ein Alibi gibt?»

«Du glaubst, daß er ein Alibi haben wird?»

Poirot erwiderte unvermutet: «Das hoffe ich aufrichtig.»

«Das Schlimme mit dir ist», sagte ich, «daß du eine Sache gern kompliziert hast.»

«Ganz recht, mon ami. Ich mag es nicht – wie drückt ihr es aus – wenn der Vogel hocken bleibt!»

Poirots Voraussage war voll berechtigt. Unser Reisegefährte in dem braunen Anzug stellte sich als ein Mr. Norton Kane heraus. Er hatte sich geradewegs zum George Hotel in Monkhampton begeben und war während des Nachmittags dort geblieben. Die einzige Aussage gegen ihn war die von Miss Durrant, die erklärte, daß sie ihn sein Gepäck aus dem Auto habe holen sehen, während wir beim Essen waren.

«Was an sich keine verdächtige Handlung ist», sagte Poirot nachdenklich.

Nach dieser Bemerkung versank er in Schweigen und lehnte es ab, die Angelegenheit noch weiter zu erörtern. Und als ich in ihn drang, sagte er, daß er über Schnurrbärte im allgemeinen nachdenke, und daß ich gut beraten wäre, wenn ich das gleiche täte.

Ich bekam jedoch heraus, daß er Joseph Aarons gebeten hatte – mit dem er den Abend verbrachte – ihm jede mögliche Einzelheit über Mr. Baker Wood zu erzählen. Da beide Männer im selben Hotel wohnten, bestand Aussicht, einige verstreute Informationssplitter aufzulesen. Was immer Poirot auch erfuhr, er behielt es jedenfalls für sich.

Mary Durrant after various interviews with the police, had returned to Ebermouth by an early morning train. We lunched with Joseph Aarons, and, after lunch, Poirot announced to me that he had settled the theatrical agent's problem satisfactorily, and that we could return to Ebermouth as soon as we liked. "But not by road, *mon ami;* we go by rail this time."

"Are you afraid of having your pocket picked, or of meeting another damsel in distress?"

"Both those affairs, Hastings, might happen to me on the train. No, I am in haste to be back in Ebermouth, because I want to proceed with our case."

"Our case?"

"But, yes, my friend. Mademoiselle Durrant appealed to me to help her. Because the matter is now in the hands of the police, it does not follow that I am free to wash my hands of it. I came here to oblige an old friend, but it shall never be said of Hercule Poirot that he deserted a stranger in need!" And he drew himself up grandiloquently.

"I think you were interested before that," I said shrewdly. "In the office of cars, when you first caught sight of that young man, though what drew your attention to him I don't know."

"Don't you, Hastings? You should. Well, well, that must remain my little secret."

We had a short conversation with the police inspector in charge of the case before leaving. He had interviewed Mr. Norton Kane, and told Poirot in confidence that the young man's manner had not impressed him favorably. He had blustered, denied, and contradicted himself.

"But just how the trick was done, I don't know," he confessed.

"He could have handed the stuff to a confederate who pushed off at once in a fast car. But that's just theory. We've got to find the car and the confederate and pin the thing down."

Mary Durrant war nach mehreren Befragungen durch die Polizei mit einem frühen Morgenzug nach Ebermouth zurückgekehrt. Wir speisten mit Joseph Aarons zu Mittag, und nach dem Essen verkündete mir Poirot, daß er die strittige Frage des Theateragenten zur Zufriedenheit gelöst habe, so daß wir, wann immer wir wollten, nach Ebermouth zurückkehren könnten.

«Aber nicht die Straße entlang, mon ami; dieses Mal nehmen wir den Zug.»

«Befürchtest du, daß man dir die Taschen leert, oder daß du ein weiteres Fräulein in Schwierigkeiten vorfindest?»

«Solche Ereignisse, Hastings, könnten mir beide auch im Zug zustoßen. Nein, ich habe es eilig, nach Ebermouth zurückzukehren, denn ich möchte unseren Fall weiterführen.»

«Unseren Fall?»

«Aber ja, mein Freund. Mademoiselle Durrant bat mich inständig, ihr zu helfen. Wenn auch die Angelegenheit jetzt in den Händen der Polizei ist, folgert daraus doch nicht, daß ich bereit bin, meine Hände da rauszuhalten. Ich kam hierher, um einem alten Freund einen Gefallen zu erweisen, doch es soll von Hercule Poirot nie heißen, daß er einen Fremden in der Not verließ!» Und er richtete sich pathetisch auf.

«Ich denke, deine Neugier war schon vorher geweckt», sagte ich bissig. «In dem Autoreisebüro, als du den jungen Mann zum ersten Mal erblicktest; doch was deine Aufmerksamkeit auf ihn zog, das weiß ich nicht.»

«Wirklich nicht, Hastings? Du solltest es aber. Nun gut, das muß mein kleines Geheimnis bleiben.»

Bevor wir abfuhren, führten wir noch ein kurzes Gespräch mit dem Polizeiinspektor, der mit diesem Fall betraut war. Er hatte Mr. Norton Kane verhört und berichtete Poirot im Vertrauen, daß das Benehmen des jungen Mannes keinen günstigen Eindruck auf ihn gemacht hätte. Er war aufgebraust, hatte geleugnet und sich selbst widersprochen.

«Doch wie das Ding nun wirklich gedreht wurde, ich weiß es nicht», bekannte er. «Er könnte das Zeug einem Komplicen übergeben haben, der sich sofort mit einem schnellen Wagen aufmachte. Doch das ist eben nur eine Behauptung. Wir müssen einfach das Auto und den Komplicen finden; dann hätten wir den Aufhänger.»

Poirot nodded thoughtfully.

"Do you think that was how it was done?" I asked him, as we were seated in the train.

"No, my friend, that was not how it was done. It was cleverer than that."

"Won't you tell me?"

"Not yet. You know – it is my weakness – I like to keep my little secrets till the end."

"Is the end going to be soon?"

"Very soon now."

We arrived in Ebermouth a little after six and Poirot drove at once to the shop which bore the name "Elizabeth Penn." The establishment was closed, but Poirot rang the bell, and presently Mary herself opened the door, and expressed surprise and delight at seeing us.

"Please come in and see my aunt," she said.

She led us into a back room. An elderly lady came forward to meet us; she had white hair and looked rather like a miniature herself with her pink-and-white skin and her blue eyes. Round her rather bent shoulders she wore a cape of priceless old lace.

"Is this the great Monsieur Poirot?" she asked in a low charming voice. "Mary has been telling me. I could hardly believe it. And you will really help us in our trouble. You will advise us?"

Poirot looked at her for a moment, then bowed.

"Mademoiselle Penn – the effect is charming. But you should really grow a mustache."

Miss Penn gave a gasp and drew back.

"You were absent from business yesterday, were you not?"

"I was here in the morning. Later I had a bad headache and went directly home."

"Not home, mademoiselle. For your headache you tried the change of air, did you not? The air of Charlock Bay is very bracing, I believe."

He took me by the arm and drew me toward the door. He paused there and spoke over his shoulder.

Poirot nickte nachdenklich.

«Glaubst du, daß es so gedreht worden ist?» Ich fragte ihn, als wir im Zug unsere Plätze eingenommen hatten.

«Nein, mein Freund, so ist es nicht gedreht worden. Sondern viel schlauer.»

«Willst du es mir nicht erzählen?»

«Noch nicht. Du weißt – es ist meine Schwäche – ich behalte mir meine kleinen Geheimnisse gerne bis zum Schluß.»

«Ist der Schluß bald da?»

«Sehr bald sogar.»

Wir trafen in Ebermouth kurz nach sechs ein und Poirot fuhr geradewegs zu dem Laden, der den Namen ‹Elizabeth Penn› trug. Das Geschäft war geschlossen, doch Poirot läutete, und alsbald öffnete Mary selbst die Tür und zeigte Überraschung und Freude uns zu sehen.

«Treten Sie doch bitte ein und lernen Sie meine Tante kennen», sagte sie.

Sie führte uns in ein rückwärtiges Zimmer. Eine ältere Dame kam grüßend auf uns zu; sie hatte weiße Haare und sah fast selber wie eine Miniatur aus mit ihrer rosigen Haut und den blauen Augen. Um ihre ziemlich gebeugten Schultern trug sie einen Umhang aus unschätzbarer alter Spitze.

«Ist das der große Monsieur Poirot?» fragte sie mit leiser reizender Stimme. «Mary hat mir berichtet. Ich konnte es kaum glauben. Und Sie wollen uns in unserem Unglück wirklich helfen? Wollen uns mit Ihrem Rat beistehen?»

Poirot betrachtete sie einen Augenblick lang, dann verbeugte er sich.

«Mademoiselle Penn – die Wirkung ist bestrickend. Aber Sie sollten sich wirklich einen Schnurrbart wachsen lassen.»

Miss Penn japste und wich zurück.

«Sie sind gestern dem Geschäft ferngeblieben, nicht wahr?»

«Morgens war ich hier. Später bekam ich böse Kopfschmerzen und ging sofort nach Hause.»

«Nicht nach Hause, Mademoiselle. Wegen ihrer Kopfschmerzen suchten Sie eine Luftveränderung, so war es doch? Die Luft von Charlock Bay ist sehr erfrischend, glaube ich.»

Er nahm mich beim Arm und zog mich zur Tür hin. Dort hielt er inne und sprach über die Schulter.

"You comprehend, I know everything. This little – farce – it must cease."

There was a menace in his tone. Miss Penn, her face ghastly white, nodded mutely. Poirot turned to the girl.

"Mademoiselle," he said gently, "you are young and charming. But participating in these little affairs will lead to that youth and charm being hidden behind prison walls – and I, Hercule Poirot, tell you that that will be a pity."

Then he stepped out into the street and I followed him, bewildered.

"From the first, *mon ami*, I was interested. When that young man booked his place as far as Monk-hampton only, I saw the girl's attention suddenly riveted on him. Now why? He was not of the type to make a woman look at him for himself alone. When we started on that coach, I had a feeling that something would happen. Who saw the young man tampering with the luggage? Mademoiselle and mademoiselle only, and remember she chose that seat – a seat facing the window – a most unfeminine choice.

"And then she comes to us with the tale of robbery – the dispatch box forced which makes not the common sense, as I told you at the time.

"And what is the result of it all? Mr. Baker Wood has paid over good money for stolen goods. The miniatures will be returned to Miss Penn. She will sell them and will have made a thousand pounds instead of five hundred. I make the discreet inquiries and learn that her business is in a bad state – touch and go. I say to myself – the aunt and niece are in this together."

"Then you never suspected Norton Kane?"

"*Mon ami!* With that mustache? A criminal is either clean shaven or he has a proper mustache that can be removed at will. But what an opportunity for the clever Miss Penn – a shrinking elderly lady with a pink-and-white complexion as we saw her. But if she

«Sie begreifen, ich weiß alles. Diese kleine Posse – sie muß ein Ende haben.»

In seinem Tonfall lag eine Drohung. Miss Penn, mit totenblassem Gesicht, nickte stumm. Poirot wandte sich zu dem Mädchen.

«Mademoiselle», sagte er sanft, «Sie sind jung und anmutig. Doch bei solchen kleinen Geschichten mitzumachen wird dahin führen, daß Jugend und Anmut hinter Gefängnismauern versteckt werden – und ich, Hercule Poirot, sage Ihnen, daß das bedauerlich wäre.»

Dann trat er hinaus auf die Straße und ich folgte ihm verblüfft.

«Von Anfang an, mon ami, war meine Neugier geweckt. Als jener junge Mann seinen Platz nur bis Monkhampton buchte, sah ich die Aufmerksamkeit des Mädchens plötzlich auf ihn gerichtet. Weshalb aber? Er war nicht von dem Schlag, der um seiner selbst willen den Blick einer Frau auf sich zieht. Als für uns jene Busfahrt begann, hatte ich so ein Gefühl, daß sich etwas ereignen würde. Wer sah den jungen Mann sich mit dem Gepäck abgeben? Mademoiselle und nur Mademoiselle, und erinnere dich, sie wählte jenen Platz – einen Platz gegenüber dem Fenster – eine höchst unweibliche Wahl.

Und dann kommt sie zu uns mit dem Märchen von einem Diebstahl – die Depeschenkassette erbrochen, was keinen Sinn ergibt, wie ich dir damals schon sagte.

Und worauf es hinauslaufen sollte? Mr. Baker Wood hat gutes Geld für gestohlene Ware bezahlt. Die Miniaturen werden an Miss Penn zurückgegeben. Sie wird sie verkaufen und anstatt fünfhundert Pfund wird sie tausend Pfund eingenommen haben. Ich ziehe unauffällig Erkundigungen ein und erfahre, daß es mit ihrem Geschäft nicht zum Besten steht – prekäre Situation. Ich sage mir – Tante und Nichte stecken unter einer Decke.»

«Dann hast du niemals Norton Kane verdächtigt?»

«Mon ami! Mit dem Schnurrbart? Ein Verbrecher ist entweder glattrasiert, oder er hat einen ordentlichen Schnurrbart, der auf Wunsch entfernt werden kann. Was für eine Gelegenheit für die schlaue Miss Penn – eine welke ältere Dame mit rosiger Gesichtsfarbe, als wir sie sahen. Doch wenn sie sich aufrecht hält,

holds herself erect, wears large boots, alters her complexion with a few unseemly blotches and – crowning touch – adds a few sparse hairs to her upper lip. What then? A masculine woman, says Mr. Wood, and – 'a man in disguise' say we at once."

"She really went to Charlock yesterday?"

"Assuredly. The train, as you may remember telling me, left here at eleven and got to Charlock Bay at two o'clock. Then the return train is even quicker – the one we came by. It leaves Charlock at four: five and gets here at six:fifteen. Naturally, the miniatures were never in the dispatch case at all. That was artistically forced before being packed. Mademoiselle Mary has only to find a couple of mugs who will be sympathetic to her charm and champion beauty in distress. But one of the mugs was no mug – he was Hercule Poirot!"

I hardly liked the inference. I said hurriedly:

"Then, when you said you were helping a stranger, you were willfully deceiving me. That's exactly what you were doing."

"Never do I deceive you, Hastings. I only permit you to deceive yourself. I was referring to Mr. Baker Wood – a stranger to these shores." His face darkened. "Ah! When I think of that imposition, that iniquitous overcharge; the same fare single to Charlock as return, my blood boils to protect the visitor! Not a pleasant man, Mr. Baker Wood, not, as you would say, sympathetic. But a visitor! And we visitors, Hastings, must stand together. Me, I am all for the visitors!"

große Stiefel trägt, ihre Gesichtsfarbe mit ein paar unschönen Flecken verändert und – letzte krönende Feinheit – noch spärliches Haar auf ihre Oberlippe fügt. Was dann? Eine männliche Frau, sagt Mr. Wood, und – ‹ein verkleideter Mann› sagen wir sofort!»

«Hat sie sich gestern wirklich nach Charlock begeben?»

«Sicherlich. Der Zug, sagtest du mir, wie du dich vielleicht erinnerst, fuhr hier um elf Uhr ab und traf um zwei Uhr in Charlock Bay ein. Im übrigen ist der Rückzug sogar schneller – der, mit dem wir fuhren. Er verläßt Charlock um fünf nach vier und trifft hier um sechs Uhr fünfzehn ein. Natürlich waren die Miniaturen überhaupt nie in der Depeschenkassette. Die war kunstgerecht erbrochen bevor sie eingepackt wurde. Mademoiselle Mary hat nur ein paar Einfaltspinsel ausfindig zu machen, die ihrer Anmut und ihrer in Bedrängnis meisterlichen Schönheit erliegen werden. Doch einer der Einfaltspinsel war kein Einfaltspinsel – er war Hercule Poirot!»

Diese Schlußfolgerung war mir kaum angenehm. Eilig wandte ich ein:

«Als du aber dann sagtest, du würdest einem Fremden helfen, hast du mich bewußt getäuscht. Genau das hast du getan.»

«Niemals täusche ich dich, Hastings. Ich lasse nur zu, daß du dich selber täuschst. Es ging mir um Mr. Baker Wood – einen Fremdling an diesen Gestaden.» Sein Gesicht verdüsterte sich. «Ah! Wenn ich an diese Zumutung denke, diesen schändlichen Überpreis; die selben Kosten für eine einfache Fahrt nach Charlock wie für eine Rückfahrkarte; um dem Ausländer beizustehen, gerät mein Blut in Wallung! Kein erfreulicher Mann, Mr. Baker Wood, nicht angenehm, wie du sagen würdest. Aber ein Ausländer! Und wir Ausländer, Hastings, müssen zusammenhalten. Ich jedenfalls bin ganz für die Ausländer!»

The two men rounded the corner of the shrubbery.

"Well, there you are," said Raymond West. "That's it."

Horace Bindler took a deep, appreciative breath.

"But my dear," he cried, "how wonderful." His voice rose in a high screech of esthetic delight, then deepened in reverent awe. "It's unbelievable. Out of this world! A period piece of the best."

"I thought you'd like it," said Raymond West, complacently.

"Like it? My dear —" Words failed Horace. He unbuckled the strap of his camera and got busy. "This will be one of the gems of my collection," he said happily. "I do think, don't you, that it's rather amusing to have a collection of monstrosities? The idea came to me one night seven years ago in my bath. My last real gem was in the Campo Santo at Genoa, but I really think this beats it. What's it called?"

"I haven't the least idea," said Raymond.

"I suppose it's got a name?"

"It must have. But the fact is that it's never referred to round here as anything but Greenshaw's Folly."

"Greenshaw being the man who built it?"

"Yes. In 1860 or '70 or thereabouts. The local success story of the time. Barefoot boy who had risen to immense prosperity. Local opinion is divided as to why he built this house, whether it was sheer exuberance of wealth or whether it was done to impress his creditors. If the latter, it didn't impress them. He either went bankrupt or the next thing to it. Hence the name, Greenshaw's Folly."

Horace's camera clicked. "There," he said in a satisfied voice. "Remind me to show you Number 310 in my collection. A really incredible marble mantelpiece in the Italian manner." He added, looking at the house, "I can't conceive of how Mr. Greenshaw thought of it all."

GREENSHAWS WAHN

Die beiden Männer bogen um den Rand des Buschwerks.

«Nun, schau dir das an», sagte Raymond West. «Das ist es also.»

Horace Bindler sog den Atem ein, tief und anerkennend.

«Aber mein Lieber», rief er, «wie wunderbar.» Seine Stimme schwoll zu einem Aufschrei empfindsamen Entzücktseins, dann sank sie in ehrfürchtiger Scheu. «Das ist unglaublich. Einmalig! Ein Museumsstück feinster Art.»

«Ich dachte mir, daß du es mögen würdest», sagte Raymond West selbstgefällig.

«Es mögen? Mein Lieber...» Horace fehlten die Worte. Er schnallte den Riemen seiner Kamera auf und wurde emsig. «Das wird eines der Juwelen meiner Sammlung sein», sagte er frohlockend. «Ich finde es recht vergnüglich, eine Sammlung von Monstrositäten zu besitzen, du nicht auch? Der Gedanke kam mir eines Nachts vor sieben Jahren in der Badewanne. Mein letztes echtes Juwel fand ich im Campo Santo von Genua, aber ich glaube in der Tat, das hier schlägt es. Wie wird es genannt?»

«Ich habe nicht die leiseste Ahnung», sagte Raymond.

«Ich nehme doch an, daß es einen Namen hat?»

«Es muß wohl. Doch Tatsache ist, daß man es hier in der Gegend nie anders benannte als Greenshaws Wahn.»

«Greenshaw ist wohl der Mann, der es erbaute?»

«Ja. Im Jahre 1860 oder 70 oder so herum. Die hiesige Lesart von Glück und Karriere in damaliger Zeit. Ein barfüßiger Junge, der zu unermeßlichem Reichtum gekommen war. Die ortsübliche Meinung, weshalb er dieses Haus baute, ist geteilt, ob es rein aus dem Überschwang des Reichtums geschah oder um seine Gläubiger zu beeindrucken. War es das letztere, so hat es sie nicht beeindruckt. Entweder machte er bankrott, oder er war dicht daran. Deshalb der Name, Greenshaws Wahn.»

Horace's Kamera klickte. «Das wär's», sagte er mit zufriedener Stimme. «Erinnere mich, daß ich dir Nummer 310 meiner Sammlung zeige. Eine wirklich unglaubliche marmorne Kamineinfassung in italienischer Manier.» Er fügte mit einem Blick auf das Haus hinzu: «Ich kann mir nicht vorstellen, wie Mr. Greenshaw das alles eingefallen ist.»

"Rather obvious in some ways," said Raymond. "He had visited the *châteaux* of the Loire, don't you think? Those turrets. And then, rather unfortunately, he seems to have traveled in the Orient. The influence of the Taj Mahal is unmistakable. I rather like the Moorish wing," he added, "and the traces of a Venetian palace."

"One wonders how he ever got hold of an architect to carry out these ideas."

Raymond shrugged his shoulders.

"No difficulty about that, I expect," he said. "Probably the architect retired with a good income for life while poor old Greenshaw went bankrupt."

"Could we look at it from the other side?" asked Horace, "or are we trespassing?"

"We're trespassing all right," said Raymond, "but I don't think it will matter."

He turned toward the corner of the house and Horace skipped after him.

"But who lives here, my dear? Orphans or holiday visitors? It cant be a school. No playing fields or brisk efficiency."

"Oh, a Greenshaw lives here still," said Raymond over his shoulder. "The house itself didn't go in the crash. Old Greenshaw's son inherited it. He was a bit of a miser and lived here in a corner of it. Never spent a penny. Probably never had a penny to spend. His daughter lives here now. Old Lady — very eccentric."

As he spoke Raymond was congratulating himself on having thought of Greenshaw's Folly as a means of entertaining his guest. These literary critics always professed themselves as longing for a weekend in the country, and were wont to find the country extremely boring when they got there. Tomorrow there would be the Sunday papers, and for today Raymond West congratulated himself on suggesting a visit to Greenshaw's Folly to enrich Horace Bindler's well-known collection of monstrosities.

«Eigentlich doch nicht zu übersehen», sagte Raymond. «Er hatte die Schlösser an der Loire besucht, glaubst du nicht? Jene Türmchen. Und dann scheint er, eigentlich unglücklicherweise, im Orient herumgereist zu sein. Der Einfluß von Taj Mahal ist unbestreitbar. Mir liegt eher der maurische Flügel», fügte er hinzu, «und dies Element eines venezianischen Palastes».

«Man fragt sich nur, wie er je eines Architekten habhaft wurde, um diese Schrullen zu verwirklichen.»

Raymond zuckte mit den Schultern.

«Das war vermutlich kein Problem», sagte er. «Wahrscheinlich setzte sich der Architekt mit einem guten Einkommen für den Rest seines Lebens zur Ruhe, während der arme alte Greenshaw bankrott ging.»

«Könnten wir es uns mal von der anderen Seite aus anschauen?» fragte Horace, «oder handeln wir unbefugt?»

«Wir handeln jetzt schon unbefugt», sagte Raymond, «doch glaube ich kaum, daß es was ausmacht.»

Er wandte sich der Ecke des Hauses zu, und Horace setzte ihm nach.

«Wer wohnt hier eigentlich, mein Lieber? Waisenkinder oder Feriengäste? Eine Schule kann es nicht sein. Keine Sportplätze oder sonst lebhaftes Tummeln.»

«Oh, hier lebt noch eine Greenshaw», warf Raymond über die Schulter zurück. «Das Haus selber blieb vom Debakel verschont. Der Sohn des alten Greenshaw erbte es. Er war ein echter Geizkragen und lebte hier nur in einem Winkel. Gab nie einen Penny aus. Besaß wohl auch nie einen Penny zum Ausgeben. Seine Tochter lebt jetzt hier. Alte Dame – sehr wunderlich.»

Während er redete, beglückwünschte sich Raymond, daß ihm Greenshaws Wahn eingefallen war, um damit seinen Gast zu unterhalten. Diese Literaturkritiker beteuerten immer ihre Sehnsucht nach einem Wochenende auf dem Lande, und waren sie erst einmal dort, empfanden sie gewöhnlich die Ländlichkeit als ausgesprochen eintönig. Morgen gäbe es ja die Sonntagszeitungen, und für den heutigen Tag gratulierte sich Raymond West zu seinem Vorschlag, Greenshaws Wahn einen Besuch abzustatten, um Horace Bindlers berühmte Sammlung von Monstrositäten zu bereichern.

They turned the corner of the house and came out on a neglected lawn. In one corner of it was a large artifical rockery, and bending over it was a figure at the sight of which Horace clutched Raymond delightedly by the arm.

"My dear," he exclaimed, "do you see what she's got on? A sprigged print dress. Just like a housemaid – when there were housemaids. One of my most cherished memories is staying at a house in the country when I was quite a boy where a real housemaid called you in the morning, all crackling in a print dress and a cap. Yes, my boy, *really* – a cap. Muslin with streamers. No, perhaps it was the parlormaid who had the streamers. But anyway she was a real housemaid and she brought in an enormous brass can of hot water. What an exciting day we're having."

The figure in the print dress had straightened up and turned toward them, trowel in hand. She was a sufficiently startling figure. Unkempt locks of iron-grey fell wispily on her shoulders and a straw hat, rather like the hats that horses wear in Italy, was crammed down on her head. The colored print dress she wore fell nearly to her ankles. Out of a weather-beaten, not too clean face, shrewd eyes surveyed them appraisingly.

"I must apologize for trespassing, Miss Greenshaw," said Raymond West, as he advanced toward her, "but Mr. Horace Bindler who is staying with me –"

Horace bowed and removed his hat.

"– is most interested in – er – ancient history and – er – fine buildings."

Raymond West spoke with the ease of a famous author who knows that he is a celebrity, that he can venture where other people may not.

Miss Greenshaw looked up at the sprawling exuberance behind her.

"It *is* a fine house," she said appreciatively. "My grandfather built it – before my time, of course. He is

Sie bogen um die Hausecke und landeten auf einem verwahrlosten Rasen. An seinem einen Ende lag ein großer künstlicher Steingarten, und darüber gebeugt war eine Gestalt, bei deren Anblick Horace begeistert Raymond am Arm packte.

«Mein Lieber», rief er eifrig, «siehst du, was sie anhat? Ein geblümtes Kattunkleid. Genau wie ein Stubenmädchen – als es noch Stubenmädchen gab. Eine meiner zärtlichsten Erinnerungen ist der Aufenthalt in einem Haus auf dem Lande, als ich noch ein kleiner Junge war, wo ein richtiges Stubenmädchen einen morgens weckte, über und über knisternd in einem Kattunkleid und einem Häubchen.

Ja, alter Junge – wirklich – ein Häubchen. Musselin mit Streifen. Nein, vielleicht war es das Hausmädchen, das die Streifen hatte. Ist auch egal, sie war ein wirkliches Stubenmädchen, und sie brachte einen mächtigen Messingkrug mit heißem Wasser herein. Was für einen aufregenden Tag wir erleben.»

Die Gestalt im Kattunkleid hatte sich aufgerichtet und drehte sich zu ihnen um, den Spatel in der Hand. Sie war eine einigermaßen verblüffende Erscheinung. Eisengraue zerzauste Locken fielen wuschelig auf ihre Schultern, und ein Strohhut, etwa den Hüten ähnlich, die die Pferde in Italien tragen, war auf ihren Kopf gestülpt. Das bunte Kattunkleid, das sie anhatte, reichte fast bis zu den Knöcheln. Aus einem verwitterten, nicht allzu reinlichen Gesicht wurden sie von pfiffigen Augen abschätzend betrachtet.

«Ich muß mich für unser Eindringen entschuldigen, Miss Greenshaw», sagte Raymond West, als er auf sie zuging, «doch Mr. Horace Bindler, der bei mir zu Besuch ist...»

Horace verbeugte sich und zog den Hut.

«...ist sehr aufgeschlossen für – eh – alte Geschichte und – eh – schöne Gebäude.»

Raymond West sprach mit der Seelenruhe des namhaften Schriftstellers, der weiß, daß er eine Berühmtheit ist und sich Sachen herausnehmen kann, die anderen Leuten versagt sind.

Miss Greenshaw richtete ihren Blick auf das überladene Ungetüm hinter ihr.

«Es *ist* ein schönes Haus», sagte sie würdigend. «Mein Großvater erbaute es – natürlich vor meiner Zeit. Es wird berichtet,

reported as having said that he wished to astonish the natives."

"I'll say he did that, ma'am," said Horace Bindler.

"Mr. Bindler is the well-known literary critic," said Raymond West.

Miss Greenshaw had clearly no reverence for literary critics. She remained unimpressed.

"I consider it," said Miss Greenshaw, referring to the house, "as a monument to my grandfather's genius. Silly fools come here and ask me why I don't sell it and go and live in a flat. What would *I* do in a flat? It's my home and I live in it," said Miss Greenshaw. "Always have lived here." She considered, brooding over the past. "There were three of us. Laura married the curate. Papa wouldn't give her any money, said clergymen ought to be unworldly. She died, having a baby. Baby died, too. Nettie ran away with the riding master. Papa cut her out of his will, of course. Handsome fellow, Harry Fletcher, but no good. Don't think Nettie was happy with him. Anyway, she didn't live long. They had a son. He writes to me sometimes, but of course he isn't a Greenshaw. *I'm* the last of the Greenshaws." She drew up her bent shoulders with a certain pride, and readjusted the rakish angle of the straw hat. Then, turning, she said sharply:

"Yes, Mrs. Cresswell, what is it?"

Approaching them from the house was a figure that, seen side by side with Miss Greenshaw, seemed ludicrously dissimilar. Mrs. Cresswell had a marvelously dressed head of well-blued hair towering upward in meticulously arranged curls and rolls. It was as though she had dressed her head to go as a French marquise to a fancy dress party. The rest of her middle-aged person was dressed in what ought to have been rustling black silk but was actually one of the shinier varietis of black rayon. Although she was not a large woman, she had a well-developed and sumptuous bosom. Her voice, when she spoke, was unexpectedly deep. She spoke with exquisite diction

daß er gesagt habe, er wolle die Leute hier zum Staunen bringen.»

«Was ihm wohl auch gelungen ist, Ma'am», sagte Horace Bindler.

«Mr. Bindler ist der berühmte Literaturkritiker», sagte Raymond West.

Miss Greenshaw hatte offensichtlich keine Ehrfurcht vor Literaturkritikern. Sie blieb unbeeindruckt.

«Für mich ist es wie ein Denkmal für die Schöpferkraft meines Großvaters», sagte Miss Greenshaw. «Verständnislose Dummköpfe kommen hierher und fragen mich, warum ich es nicht verkaufe und in ein Appartement ziehe. Was sollte *ich* in einem Appartement anfangen? Es ist mein Zuhause und ich lebe hier», sagte Miss Greenshaw. «Habe immer hier gelebt.» Sie dachte nach, brütete über der Vergangenheit. «Wir waren drei. Laura heiratete den Hilfspfarrer. Papa gab ihr absolut kein Geld, sagte, Geistliche hätten nicht weltlich zu sein. Sie starb im Kindbett. Das Baby starb auch. Nettie ging mit dem Reitlehrer durch. Papa strich sie natürlich aus seinem Testament. Hübscher Bursche, Harry Fletcher, taugte aber nichts. Glaube nicht, daß Nettie glücklich mit ihm war. Jedenfalls lebte sie nicht lang. Sie hatten einen Sohn. Er schreibt mir manchmal, aber er ist natürlich kein Greenshaw. Ich bin die letzte der Greenshaws.»

Mit einem gewissen Stolz streckte sie die gebeugten Schultern und richtete die schludrige Krempe ihres Strohhutes. Dann wandte sie sich um und sagte brüsk: «Ja, Mrs. Cresswell, was gibt's?»

Vom Haus her näherte sich ihnen eine Gestalt, die, neben Miss Greenshaw gesehen, auf lächerliche Weise anders erschien. Mrs. Cresswell hatte eine prächtige Frisur aus blau getöntem Haar, das sich in sorgfältig angeordneten Locken und Rollen auftürmte. Es war, als hätte sie sich ihren Kopf zurechtgemacht, um als französische Marquise auf ein elegantes Kostümfest zu gehen. Das übrige ihrer mittelalterlichen Figur war in etwas gekleidet, was eigentlich raschelnde schwarze Seide vorstellen sollte, doch in Wirklichkeit eine der glänzenderen Spielarten schwarzer Kunstseide war. Obwohl sie keine füllige Frau war, hatte sie doch einen wohlentwickelten üppigen Busen. Als sie sprach, war ihre Stimme unerwartet tief. Sie hatte eine sehr

– only a slight hesitation over words beginning with "h" and the final pronunciation of them with an exaggerated aspirate gave rise to a suspicion that at some remote period in her youth she might have had trouble over dropping her h's.

"The fish, madam," said Mrs. Cresswell, "the slice of cod. It has not arrived. I have asked Alfred to go down for it and he refuses."

Rather unexpectedly, Miss Greenshaw gave a cackle of laughter.

"Refuses, does he?"

"Alfred, madam, has been most disobliging."

Miss Greenshaw raised two earth-stained fingers to her lips, suddenly produced an ear-splitting whistle and at the same time yelled, "Alfred. Alfred, come here."

Round the corner of the house a young man appeared in answer to the summons, carrying a spade in his hand. He had a bold, handsome face and as he drew near he cast an unmistakably malevolent glance toward Mrs. Cresswell.

"You wanted me, miss?" he said.

"Yes, Alfred. I hear you've refused to go down for the fish. What about it, eh?"

Alfred spoke in a surly voice.

"I'll go down for it if you wants it, miss. You've only got to say."

"I do want it. I want it for my supper."

"Right you are, miss. I'll go right away."

He threw an insolent glance at Mrs. Cresswell, who flushed and murmured below her breath.

"Now that I think of it," said Miss Greenshaw, "a couple of strange visitors are just what we need, aren't they, Mrs. Cresswell?"

Mrs. Cresswell looked puzzled.

"I'm sorry, madam –"

"For you-know-what," said Miss Greenshaw, nodding her head. "Beneficiary to a will mustn't witness it. That's right, isn't it?" She appealed to Raymond West.

vornehme Aussprache – nur ein leichtes Zögern bei Wörtern die mit einem ‹h› begannen und deren auslautende Artikulation mit übertriebenem Hauchlaut, gaben zu dem Verdacht Anlaß, daß sie in einer entfernten Zeit ihrer Jugend möglicherweise Verdruß gehabt hatte wegen ihrer vulgären Aussprache.

«Der Fisch, Madam», sagte Mrs. Cresswell, «das Stück Kabeljau. Es wurde nicht geliefert. Ich habe Alfred gebeten, es zu holen und er weigert sich.»

Überraschend kam von Miss Greenshaw ein gackriges Lachen.

«Weigert sich also?»

«Alfred, Madam, ist äußerst unliebenswürdig gewesen.»

Miss Greenshaw legte zwei erdbeschmutzte Finger an die Lippen, brachte plötzlich einen ohrenbetäubenden Pfiff hervor und zur selben Zeit erscholl gellend: «Alfred. Alfred, komm hierher.»

Auf diese Aufforderungen hin erschien um die Ecke des Hauses ein junger Mann mit einem Spaten in der Hand. Er hatte ein keckes, hübsches Gesicht, und als er näher herankam, warf er einen unmißverständlich feindseligen Blick auf Mrs. Cresswell.

«Sie wollen mich sprechen, Miss?» sagte er.

«Ja, Alfred. Ich höre, du hast dich geweigert, den Fisch zu holen. Wie steht's damit, he?»

Alfred sprach mit mürrischer Stimme.

«Ich geh ihn holen, wenn Sie's wünschen, Miss. Sie müssen es nur sagen.»

«Ich wünsche es. Ich möchte ihn zum Abendessen.»

«Jawohl, Miss. Ich gehe auf der Stelle.»

Er warf Mrs. Cresswell einen unverschämten Blick zu, die errötete und unterdrückt irgendwas murmelte.

«Jetzt fällt mir etwas ein», sagte Miss Greenshaw, «zwei fremde Besucher sind genau das, was wir brauchen, nicht wahr, Mrs. Cresswell?»

Mrs. Cresswell schaute verdutzt.

«Es tut mir leid, Madam –»

«Sie wissen schon warum», sagte Miss Greenshaw mit nikkendem Kopf. «Ein Erbberechtigter eines Testamentes darf dieses nicht beglaubigen. Das stimmt doch, oder?» Sie wandte sich fragend an Raymond West.

"Quite correct," said Raymond.

"I know enough law to know that," said Miss Greenshaw, "and you two are men of standing."

She flung down the trowel on her weeding basket.

"Would you mind coming up to the library with me?"

"Delighted," said Horace eagerly.

She led the way through French windows and through a vast yellow and gold drawing-room with faded brocade on the walls and dust covers arranged over the furniture, then through a large dim hall, up a staircase, and into a room on the second floor.

"My grandfather's library," she announced.

Horace looked round with acute pleasure. It was a room from his point of view quite full of monstrosities. The heads of sphinxes appeared on the most unlikely pieces of furniture, there was a colossal bronze representing, he thought, Paul and Virginia, and a vast bronze clock with classical motifs of which he longed to take a photograph.

"A fine lot of books," said Miss Greenshaw.

Raymond was already looking at the books. From what he could see from a cursory glance there was no book here of any real interest or, indeed, any book which appeared to have been read. They were all superbly bound sets of the classics as supplied ninety years ago for furnishing a gentleman's library. Some novels of a bygone period were included. But they too showed little signs of having been read.

Miss Greenshaw was fumbling in the drawers of a vast desk. Finally she pulled out a parchment document.

"My will," she explained. "Got to leave your money to someone – or so they say. If I died without a will, I suppose that son of a horse coper would get it. Handsome fellow, Harry Fletcher, but a rogue if
ever there was one. Don't see why *his* son should inherit this place. No," she went on, as though an-

«Ganz recht», sagte Raymond.

«Ich kenne das Gesetz gut genug, um das zu wissen», sagte Miss Greenshaw, «und Sie beide sind Personen von Stand.»

Sie warf ihren Spatel in den Unkrautkorb.

«Würden Sie freundlicherweise mit mir hinauf in die Bibliothek kommen»?

«Mit Vergnügen», sagte Horace erpicht.

Sie ging voran durch die Verandatür und durch einen weitläufigen gold-gelben Wohnraum mit verblaßtem Brokat an den Wänden – die Möbel waren mit Staubdecken verhüllt –, dann durch eine große düstere Halle, ein Treppenhaus hinauf und in einen Raum im zweiten Stock.

«Die Bibliothek meines Großvaters», verkündete sie.

Horace blickte mit verschmitztem Vergnügen umher. Seiner Ansicht nach war es ein Zimmer voller Monstrositäten. Die Köpfe von Sphinxen erschienen auf den unglaublichsten Möbelstücken; es gab eine monumentale Bronze, die, wie er glaubte, Paul und Virginia darstellte, und eine riesige bronzene Standuhr mit klassischen Motiven, von der er liebend gern eine Aufnahme machen würde.

«Eine ganz schöne Masse Bücher», sagte Miss Greenshaw.

Raymond überflog schon den Buchbestand. Bei nur flüchtigem Hinschauen konnte er sehen, daß hier kein Buch von wirklichem Belang war, noch eines dieser Bücher anscheinend jemals gelesen worden war. Es waren alles prächtig gebundene Klassikerausgaben, vor neunzig Jahren geliefert, um eine Herrenbibliothek auszustatten. Einige Romane einer späteren Epoche waren hinzugefügt. Doch auch sie trugen wenig Anzeichen, daß sie gelesen worden waren.

Miss Greenshaw stöberte in den Schubladen eines mächtigen Schreibpultes. Schließlich zog sie eine pergamentene Urkunde hervor.

«Mein Testament», erklärte sie. «Man hat jemandem sein Geld zu vermachen – ist es nicht so? Wenn ich ohne Testament stürbe, so würde wahrscheinlich dieser Sohn eines Pferdehändlers es bekommen. Hübscher Bursche, Harry Fletcher, doch wenn es einen Gauner gab, so war der einer. Seh' nicht ein, weshalb *sein* Sohn diesen Besitz erben sollte. Nein», fuhr sie fort, als ob sie einer unausgesprochenen Erwiderung entge-

swering some unspoken objection, "I've made up my mind. I'm leaving it to Cresswell."

"Your housekeeper?"

"Yes. I've explained it to her. I make a will leaving her all I've got and then I don't need to pay her any wages. Saves me a lot in current expenses, and it keeps her up to the mark. No giving me notice and walking off at any minute. Very la-di-dah and all that, isn't she? But her father was a working plumber in a very small way. *She's* nothing to give herself airs about."

By now Miss Greenshaw had unfolded the parchment. Picking up a pen, she dipped it in the inkstand and wrote her signature, *Katherine Dorothy Greenshaw*.

"That's right," she said. "You've seen me sign it, and then you two sign it, and that makes it legal."

She handed the pen to Raymond West. He hesitated a moment, feeling an unexpected repulsion to what he was asked to do. Then he quickly scrawled his well-known autograph, for which his morning's mail usually brought at least six requests.

Horace took the pen from him and added his own minute signature.

"That's done," said Miss Greenshaw.

She moved across to the bookcases and stood looking at them uncertainly, then she opened a glass door, took out a book, and slipped the folded parchment inside.

"I've my own places for keeping things," she said.

"*Lady Audley's Secret*," Raymond West remarked, catching sight of the title as she replaced the book.

Miss Greenshaw gave another cackle of laughter.

"Best-seller in its day," she remarked. "But not like your books, eh?"

She gave Raymond a sudden friendly nudge in the ribs. Raymond was rather surprised that she even knew he wrote books. Although Raymond West was a "big name" in literature, he could hardly be described as a best-seller. Though softening a little with

gentrete «ich habe meinen Entschluß gefaßt. Ich überlasse es der Cresswell.»

«Ihrer Wirtschafterin?»

«Ja. Ich habe es mit ihr geklärt. Ich mache ein Testament, in dem ich ihr alles hinterlasse, was ich besitze, und ich brauche ihr dafür keinerlei Gehalt zu zahlen. Spart mir eine Menge laufender Ausgaben und hält sie auf dem Posten. Kein Kündigen und sich mir nichts dir nichts auf und davonmachen. Sehr geziert ist sie und so, finden Sie nicht? Ihr Vater rackerte sich in sehr kleinen Verhältnissen als Klempner ab. Sie hat nicht das mindeste, um sich derart aufzuplustern...»

Mittlerweile hatte Miss Greenshaw das Pergament entfaltet. Sie nahm sich einen Federhalter, tauchte ihn ins Tintenfaß und schrieb ihre Unterschrift, Katherine Dorothy Greenshaw.

«So gehört es sich», sagte sie. «Sie haben mich unterschreiben sehen, nun unterschreiben Sie beide, das macht es rechtskräftig.»

Sie reichte Raymond West den Federhalter. Er zögerte kurz, empfand er doch ein unerklärliches Widerstreben gegen das, was von ihm erbeten wurde. Dann kritzelte er eilig sein wohlbekanntes Autogramm, um das er mit jeder Morgenpost mindestens sechsmal angegangen wurde.

Horace nahm ihm den Federhalter ab und fügte seine eigene zierliche Unterschrift hinzu.

«Das wäre geschafft», sagte Miss Greenshaw.

Sie schritt zu den Bücherschränken und stand mit unentschlossenem Blick davor, dann öffnete sie eine Glastür, nahm ein Buch heraus, in das sie das gefaltete Pergament schob.

«Ich habe so meine eigenen Stellen, wo ich Dinge aufbewahre», sagte sie.

«‹Lady Audleys Geheimnis›», bemerkte Raymond West, der die Titelseite erhaschte, als sie das Buch zurückstellte.

Miss Greenshaw ließ abermals ein gackriges Lachen hören.

«Seinerzeit ein Verkaufsschlager», bemerkte sie. «Aber nicht so was wie Ihre Bücher, wie?»

Sie gab Raymond einen unvermuteten freundlichen Rippenstoß. Raymond war eher erstaunt, daß sie sogar von seiner Schriftstellerei wußte. Wenn auch Raymond West ein «großer Name» in der Literatur war, als Bestsellerautor konnte er kaum hingestellt werden. Obwohl er mit dem Herannahen der besse-

the advent of middle-age, his books dealt bleakly with the sordid side of life.

"I wonder," Horace demanded breathlessly, "if I might just take a photograph of the clock."

"By all means," said Miss Greenshaw. "It came, I believe, from the Paris Exhibition."

"Very probably," said Horace. He took his picture.

"This room's not been used much since my grandfather's time," said Miss Greenshaw. "This desk's full of old diaries of his. Interesting, I should think. I haven't the eyesight to read them myself. I'd like to get them published, but I suppose one would have to work on them a good deal."

"You could engage someone to do that," said Raymond West.

"Could I really? It's an idea, you know. I'll think about it."

Raymond West glanced at his watch.

"We mustn't trespass on your kindness any longer," he said.

"Pleased to have seen you," said Miss Greenshaw graciously. "Thought you were the policeman when I heard you coming round the corner of the house."

"Why a policeman?" demanded Horace, who never minded asking questions.

Miss Greenshaw responded unexpectedly.

"If you want to know the time, ask a policeman," she carolled, and with this example of Victorian wit she nudged Horace in the ribs and roared with laughter.

"It's been a wonderful afternoon," sighed Horace as they walked home. "Really, that place has *everything*. The only thing the library needs is a body. Those old-fashioned detective stories about murder in the library – that's just the kind of library I'm sure the authors had in mind."

"If you want to discuss murder," said Raymond, "you must talk to my Aunt Jane."

ren Jahre um einiges milder wurde, so handelten seine Bücher doch unverblümt von der unerquicklichen Seite des Lebens.

«Ob ich wohl vielleicht», fragte Horace atemlos begierig, «ob ich wohl gerade mal eine Aufnahme von der Standuhr machen dürfte?»

«Aber sicherlich», sagte Miss Greenshaw. «So viel ich weiß, kam sie von der Pariser Ausstellung.»

«Sehr gut möglich», sagte Horace. Er machte die Aufnahme.

«Dieses Zimmer ist seit der Zeit meines Großvaters nicht häufig benutzt worden», sagte Miss Greenshaw. «Dieses Pult ist gefüllt mit seinen alten Tagebüchern. Aufschlußreich, könnte ich mir vorstellen. Ich habe nicht die Sehkraft, sie selber zu lesen. Gerne hätte ich sie veröffentlicht, doch fürchte ich, daß man ein gutes Stück Arbeit hineinstecken muß».

«Sie könnten jemanden damit beauftragen», sagte Raymond West.

«Könnte ich das wirklich? Das ist ein Vorschlag, allerdings. Ich werde darüber nachdenken.»

Raymond West blickte auf seine Uhr.

«Wir dürfen Ihre Freundlichkeit nun nicht weiter beanspruchen», sagte er.

«Hat mich gefreut, Sie kennenzulernen», sagte Miss Greenshaw huldvoll. «Dachte, Sie seien der Schutzmann, als ich sie um die Hausecke kommen hörte.»

«Wieso ein Schutzmann?» verlangte Horace zu wissen, der immer ungehemmt Fragen stellte.

Miss Greenshaw ging überraschend darauf ein.

«Willst du die Zeit wissen, frag einen Schupo», sing-sangte sie lustig, und bei diesem Beispiel viktorianischen Humors gab sie Horace einen Rippenstoß und lachte schallend.

«Das war ein großartiger Nachmittag», seufzte Horace auf dem Heimweg. «Wahrlich, dieser Ort hat *alles*. Das einzige, was der Bibliothek noch abgeht, das ist eine Leiche. Diese altmodischen Detektivromane vom Mord in der Bibliothek – das war genau die Sorte Bibliothek, von der ich annehme, daß sie den Autoren vorschwebte.»

«Wenn du Morde erörtern willst», sagte Raymond, «dann mußt du meine Tante Jane ansprechen.»

"Your Aunt Jane? Do you mean Miss Marple?" Horace felt a little at a loss.

The charming old-world lady to whom he had been introduced the night before seemed the last person to be mentioned in connection with murder.

"Oh, yes," said Raymond. "Murder is a specialty of hers."

"But my dear, how intriguing! What do you really mean?"

"I mean just that," said Raymond. He paraphrased: "Some commit murder, some get mixed up in murders, others have murder thrust upon them. My Aunt Jane comes into the third category."

"You are joking."

"Not in the least. I can refer you to the former Commissioner of Scotland Yard, several Chief Constables, and one or two hard-working inspectors of the C.I.D."

Horace said happily that wonders would never cease. Over the tea table they gave Joan West, Raymond's wife, Louise Oxley, her niece, and old Miss Marple, a résumé of the afternoon's happenings, recounting in detail everything that Miss Greenshaw had said to them.

"But I do think," said Horace, "that there is something a little *sinister* about the whole setup. That duchesslike creature, the housekeeper – arsenic, perhaps, in the teapot, now that she knows her mistress has made the will in her favor?"

"Tell us, Aunt Jane," said Raymond. "Will there be murder or won't there? What do *you* think?"

"I think," said Miss Marple, winding up her wool with a rather severe air, "that you shouldn't joke about these things as much as you do, Raymond. Arsenic is, of course, *quite* a possibility. So easy to obtain. Probably present in the tool shed already in the form of weed killer."

"Oh, really, darling," said Joan West, affectionately. "Wouldn't that be rather too obvious?"

«Deine Tante Jane? Meinst du Miss Marple?» Horace fühlte sich ein wenig hochgenommen.

Die reizende alte Dame alter Schule, mit der er am Abend zuvor bekannt gemacht worden war, schien als allerletzter aller Menschen für eine Gedankenverbindung mit Mord in Frage zu kommen.

«Oh doch», sagte Raymond. «Mord ist ihr Fachgebiet.»

«Du liebes bißchen, was für eine Vorstellung! Was willst du damit sagen?»

«Genau das», äußerte Raymond. Er wurde deutlicher: «Manche begehen Mord, manche werden in Morde verwickelt, andere bekommen Morde aufgedrängt. Meine Tante Jane gehört zur dritten Gattung.»

«Du scherzt.»

«Nicht im geringsten. Ich kann dich an den ehemaligen Kommissar von Scotland Yard verweisen, an mehrere Polizeidirektoren und an einen oder an zwei sehr rührige Kriminalinspektoren.»

Horace meinte beglückt, daß es mit den Wundern doch nie ein Ende nehmen würde. Am Teetisch gaben sie Joan West, Raymonds Frau, Louise Oxley, ihrer Nichte und der alten Miss Marple eine Zusammenfassung von den Ereignissen des Nachmittags; sie erzählten bis ins kleinste alles, was Miss Greenshaw zu ihnen gesagt hatte.

«Doch ich sage mir», kam es von Horace, «daß so etwas wie ein bißchen Unheil über dieser ganzen Vereinbarung schwebt. Dieses matronenhafte Wesen, die Wirtschafterin – Arsen in der Teekanne, wäre möglich, jetzt, wo sie weiß, daß ihre Herrin das Testament zu ihren Gunsten gemacht hat.»

«Erzähl du uns, Tante Jane», sagte Raymond. «Wird es dort Mord geben oder nicht? Was glaubst *du?*»

«Ich glaube», sagte Miss Marple, wobei sie mit beinah finsterer Miene die Wolle aufwickelte, «daß du mit diesen Dingen nicht dermaßen deinen Scherz treiben solltest, Raymond. Arsen ist selbstverständlich schon eine Möglichkeit. So leicht zu beschaffen. Wahrscheinlich im Geräteschuppen bereits in Form von Unkrautvertilger vorhanden.»

«Ich muß schon sagen, Liebste», sagte Joan West zärtlich. «Wäre das nicht einfach zu naheliegend?»

"It's all very well to make a will," said Raymond. "I don't suppose the poor old thing has anything to leave except that awful white elephant of a house, and who would want that?"

"A film company possibly," said Horace, "or a hotel or an institution?"

"They'd expect to buy it for a song," said Raymond, but Miss Marple was shaking her head.

"You know, dear Raymond, I cannot agree with you there. About the money, I mean. The grandfather was evidently one of those lavish spenders who make money easily but can't keep it. He may have gone broke, as you say, but hardly bankrupt or else his son would not have had the house. Now the son, as is so often the case, was of an entirely different character from his father. A miser. A man who saved every penny. I should say that in the course of his lifetime he probably put by a very good sum. This Miss Greenshaw appears to have taken after him—to dislike spending money, that is. Yes, I should think it quite likely that she has quite a substantial sum tucked away."

"In that case," said Joan West, "I wonder now — what about Louise?"

They looked at Louise as she sat, silent, by the fire.

Louise was Joan West's niece. Her marriage had recently, as she herself put it, come unstuck, leaving her with two young children and a bare sufficiency of money to keep them on.

"I mean," said Joan, "if this Miss Greenshaw really wants someone to go through diaries and get a book ready for publication..."

"It's an idea," said Raymond.

Louise said in a low voice, "It's work I could do — and I think I'd enjoy it."

"I'll write to her," said Raymond.

"I wonder," said Miss Marple thoughtfully, "what the old lady meant by that remark about a policeman?"

"Oh, it was just a joke."

«Ist ja ganz schön und gut, ein Testament zu machen», sagte Raymond. «Ich nehme nicht an, daß das arme alte Mädchen überhaupt etwas zu vererben hat, außer diesem scheußlichen Kasten von einem Haus, und wer will das schon haben?»

«Eine Filmgesellschaft vielleicht», sagte Horace, «oder ein Hotel oder eine Stiftung?»

«Sie werden erwarten, es für ein Butterbrot zu bekommen», sagte Raymond, doch Miss Marple schüttelte den Kopf.

«Weißt du, lieber Raymond, da kann ich dir nicht zustimmen. Wegen des Geldes, meine ich. Der Großvater war sichtlich einer jener maßlosen Verschwender, die leicht zu Geld kommen, aber es nicht halten können. Er mag pleite gegangen sein, wie du sagst, doch aber wohl kaum bankrott, sonst hätte sein Sohn nicht das Haus gehabt.

Nun war der Sohn, was häufig der Fall ist, völlig anders geartet als sein Vater. Ein Geizkragen. Ein Mann, der jeden Pfennig zurücklegte. Ich stelle mir vor, daß er im Laufe seines Lebens eine recht hübsche Summe auf die Seite gebracht hat. Das scheint Miss Greenshaw von ihm übernommen zu haben – ich meine die Abneigung, Geld auszugeben. Ja, ich halte es für sehr wahrscheinlich, daß sie eine recht stattliche Summe weggesteckt hat.»

«Wenn das der Fall ist», sagte Joan West, «so frage ich mich – wie wäre es mit Louise?»

Sie blickten zu Louise, welche schweigsam beim Feuer saß.

Louise war Joan Wests Nichte. Ihre Ehe war kürzlich, wie sie sich selbst ausdrückte, aufgehoben worden, und sie stand allein mit zwei kleinen Kindern und gerade noch genug Geld für ihren Unterhalt.

«Ich meine», sagte Joan, «wenn diese Miss Greenshaw wirklich jemanden haben möchte, um Tagebücher durchzusehen und ein Buch zur Veröffentlichung fertigzustellen...»

«Das ist ein Einfall», sagte Raymond.

Louise meinte mit leiser Stimme: «Das ist eine Arbeit, die ich schaffen könnte – und ich glaube, sie würde mir Spaß machen.»

«Ich werde ihr schreiben», sagte Raymond.

«Ich frage mich», sagte Miss Marple nachdenklich, «was die alte Dame meinte mit jener Bemerkung über einen Schutzmann?»

«Ach, das war nur ein Spaß.»

"It reminded me," said Miss Marple, nodding her head vigorously, "yes, it reminded me very much of Mr. Naysmith."

"Who was Mr. Naysmith?" asked Raymond, curiously.

"He kept bees," said Miss Marple, "and was very good at doing the acrostics in the Sunday papers. And he liked giving people false impressions just for fun. But sometimes it led to trouble."

Everybody was silent for a moment, considering Mr. Naysmith, but as there did not seem to be any points of resemblance between him and Miss Greenshaw, they decided that dear Aunt Jane was perhaps a *little* bit disconnected in her old age.

Horace Bindler went back to London without having collected any more monstrosities and Raymond West wrote a letter to Miss Greenshaw telling her that he knew of a Mrs. Louise Oxley who would be competent to undertake work on the diaries. After a lapse of some days a letter arrived, written in spidery old-fashioned handwriting, in which Miss Greenshaw declared herself anxious to avail herself of the services of Mrs. Oxley, and making an appointment for Mrs. Oxley to come and see her.

Louise duly kept the appointment, generous terms were arranged, and she started work the following day.

"I'm awfully grateful to you," she said to Raymond. "It will fit in beautifully. I can take the children to school, go on to Greenshaw's Folly, and pick them up on my way back. How fantastic the whole setup is! That old woman has to be seen to be believed."

On the evening of her first day at work she returned and described her day.

"I've hardly seen the housekeeper," she said. "She came in with coffee and biscuits at half-past eleven with her mouth pursed up very prunes and prisms, and would hardly speak to me. I think she disapproves

«Es erinnerte mich», sagte Miss Marple, wobei sie lebhaft mit dem Kopf nickte, «wirklich, es erinnerte mich sehr an Mr. Naysmith.»

«Wer war denn Mr. Naysmith?» erkundigte sich Raymond neugierig.

«Er züchtete Bienen», sagte Miss Marple, «und war sehr geschickt beim Auflösen der Akrostichen in den Sonntagszeitungen. Und er führte gern andere Leute in die Irre, aus lauter Spaß. Doch manchmal kam es dadurch zu Kalamitäten.»

Alle schwiegen kurze Zeit in Gedanken über Mr. Naysmith, doch da keinerlei Anhaltspunkte von Ähnlichkeiten zwischen ihm und Miss Greenshaw vorhanden schienen, waren sie sich einig, daß die gute Tante Jane vielleicht ein *klein* wenig zerstreut in ihrer Bejahrtheit war.

Horace Bindler kehrte nach London zurück, ohne noch weitere Monstrositäten aufgetan zu haben, und Raymond West schrieb Miss Greenshaw einen Brief des Inhalts, daß er eine Mrs. Louise Oxley kenne, die befähigt wäre, die Arbeit an den Tagebüchern zu übernehmen. Nach Verlauf einiger Tage traf ein Brief ein mit spinnwebartiger, altmodischer Handschrift, in welchem Miss Greenshaw ihr Verlangen äußerte, sich der Hilfe von Mrs. Oxley zu bedienen und einen Zeitpunkt für einen Besuch Mrs. Oxleys festlegte.

Louise hielt die Verabredung pünktlich ein, großzügige Bedingungen wurden vereinbart, und am folgenden Tag begann sie mit der Arbeit.

«Ich bin dir ungeheuer dankbar», sagte sie zu Raymond. «Es wird sich wunderbar einfügen. Ich kann die Kinder zur Schule bringen, weiter nach Greenshaws Wahn gehen und auf dem Heimweg sie wieder abholen. Wie bizarr doch das ganze Drumherum ist! Die alte Frau muß man gesehen haben, um es fassen zu können.»

Am Abend ihres ersten Arbeitstages kehrte sie heim und beschrieb den Verlauf.

«Die Wirtschafterin habe ich kaum zu Gesicht bekommen», sagte sie. «Sie kam um halb zwölf mit Kaffee und Keksen herein, die Lippen affektiert gespitzt und wollte kaum mit mir ein Wort wechseln. Ich glaube, sie mißbilligt zutiefst, daß ich ein-

deeply of my having been engaged." She went on, "It seems there's quite a feud between her and the gardener, Alfred. He's a local boy and fairly lazy, I should imagine, and he and the housekeeper won't speak to each other. Miss Greenshaw said in her rather grand way, 'There have always been feuds as far as I can remember between the garden and the house staff. It was so in my grandfather's time. There were three men and a boy in the garden then, and eight maids in the house, but there was always friction.'"

On the next day Louise returned with another piece of news.

"Just fancy," she said, "I was asked to ring up the nephew today."

"Miss Greenshaw's nephew?"

"Yes. It seems he's an actor playing in the stock company that's doing a summer season at Boreham-on-Sea. I rang up the theater and left a message asking him to lunch tomorrow. Rather fun, really. The old girl didn't want the housekeeper to know. I think Mrs. Cresswell has done something that's annoyed her."

"Tomorrow another installment of this thrilling serial," murmured Raymond.

"It's exactly like a serial, isn't it? Reconciliation with the nephew, blood is thicker than water – another will to be made and the old will destroyed."

"Aunt Jane, you're looking very serious."

"Was I, my dear? Have you heard any more about the policeman?"

Louise looked bewildered. "I don't know anything about a policeman."

"That remark of hers, my dear," said Miss Marple, "must have meant something."

Louise arrived at her work the following day in a cheerful mood. She passed through the open front door – the doors and windows of the house were always open. Miss Greenshaw appeared to have no fear of burglars,

gestellt wurde.» Sie fuhr fort: «Es scheint zwischen ihr und dem Gärtner Alfred eine echte Fehde zu bestehen. Er ist aus dem Dorf, und wie ich mir vorstelle, reichlich faul; er und die Wirtschafterin wollen nicht miteinander sprechen. Miss Greenshaw sagte in ihrer eigentlich würdevollen Art: ‹Schon immer hat es, so weit ich mich erinnern kann, Fehde zwischen dem Garten- und Hauspersonal gegeben. So war es schon zu Zeiten meines Großvaters. Damals waren drei Männer und ein Junge im Garten und acht Mädchen im Haus, doch es gab immer Reibereien.›»

Am nächsten Tag kehrte Louise mit einer weiteren Neuigkeit zurück.

«Stellt euch vor», sagte sie, «ich wurde heute gebeten, den Neffen anzurufen.»

«Miss Greenshaws Neffen?»

«Ja. Es scheint, er ist Schauspieler bei dem ständigen Ensemble, das einen Sommer lang in Boreham-on-Sea spielt. Ich rief im Theater an und hinterließ eine Nachricht, daß er morgen zum Mittagessen gebeten sei. Eigentlich ein bißchen komisch. Das alte Mädchen wünschte nicht, daß die Wirtschafterin darum weiß. Ich glaube, Mrs. Cresswell hat etwas getan, das sie geärgert hat.»

«Morgen eine weitere Folge dieses spannenden Fortsetzungsromans», murmelte Raymond.

«Es ist genau wie ein Fortsetzungsroman, nicht wahr? Aussöhnung mit dem Neffen, Blut ist dicker als Wasser – ein anderes Testament wird gemacht und das alte zerstört.»

«Tante Jane, du schaust so ernst drein.»

«Tat ich das, meine Liebe? Hast du noch etwas über den Schutzmann erfahren?»

Louise schaute verblüfft. «Ich weiß überhaupt nichts von einem Schutzmann.»

«Jene Bemerkung von ihr, meine Liebe», sagte Miss Marple, «muß etwas bedeutet haben.»

Louise kam am folgenden Tag in fröhlicher Laune zu ihrer Arbeit. Sie schritt durch die offenstehende Haustür – Türen und Fenster des Hauses standen immer offen. Miss Greenshaw schien keine Furcht vor Einbrechern zu haben, und wohl auch zu Recht,

and was probably justified, as most things in the house weighed several tons and were of no marketable value.

Louise had passed Alfred in the drive. When she first noticed him he had been leaning against a tree smoking a cigarette, but as soon as he had caught sight of her he had seized a broom and begun diligently to sweep leaves. An idle young man, she thought, but good-looking. His features reminded her of someone. As she passed through the hall on her way upstairs to the library, she glanced at the large picture of Nathaniel Greenshaw which presided over the mantelpiece, showing him in the acme of Victorian prosperity, leaning back in a large armchair, his hands resting on the gold Albert across his capacious stomach. As her glance swept up from the stomach to the face with its heavy jowls, its bushy eyebrows and its flourishing black mustache, the thought occurred to her that Nathaniel Greenshaw must have been handsome as a young man. He had looked, perhaps, a little like Alfred...

She went into the library on the second floor, shut the door behind her, opened her typewriter, and got out the diaries from the drawer at the side of her desk. Through the open window she caught a glimpse of Miss Greenshaw below, in a puce-colored sprigged print, bending over the rockery, weeding assiduously. They had had two wet days, of which the weeds had taken full advantage.

Louise, a town-bred girl, decided that if she ever had a garden it would never contain a rockery which needed weeding by hand. Then she settled down to her work.

When Mrs. Cresswell entered the library with the coffee tray at half-past eleven, she was clearly in a very bad temper. She banged the tray down on the table and observed to the universe:

"Company for lunch – and nothing in the house! What am *I* supposed to do, I should like to know? And no sign of Alfred."

da die meisten Gegenstände in dem Haus mehrere Tonnen wogen und keinen Marktwert hatten.

Louise war in der Einfahrt an Alfred vorbeigekommen. Als sie ihn als erste bemerkte, lehnte er an einem Baum und rauchte eine Zigarette; doch kaum hatte er sie erblickt, ergriff er einen Besen und begann emsig Laub zu kehren. Ein träger junger Mann, dachte sie, doch gutaussehend. Seine Gesichtszüge erinnerten sie an jemanden.

Als sie auf ihrem Weg nach oben in die Bibliothek durch die Halle kam, blickte sie auf das große Bild von Nathaniel Greenshaw, das die Wand über dem Kaminsims beherrschte und ihn auf dem Gipfel viktorianischen Wohlstands zeigte, zurückgelehnt in einen hohen Sessel, die Hände auf der goldenen Uhrkette ruhend, die seinen umfangreichen Bauch umspannte. Als ihr Blick vom Bauch zum Gesicht mit den schweren Kinnbacken, den buschigen Augenbrauen und dem üppigen schwarzen Schnurrbart wanderte, kam ihr plötzlich der Gedanke, daß Nathaniel Greenshaw als junger Mann hübsch gewesen sein mußte. Er hatte vielleicht ein wenig ausgeschaut wie Alfred...

Sie ging in die Bibliothek im zweiten Stockwerk, schloß die Tür hinter sich, öffnete ihre Schreibmaschine und holte die Tagebücher aus der Schublade seitlich des Pultes. Durch das geöffnete Fenster hinunter bekam sie flüchtig Miss Greenshaw zu Gesicht, wie sie in einem braunroten geblümten Kattunkleid, über ihren Steingarten gebeugt, emsig Unkraut zupfte. Die vergangenen zwei Tage waren regnerisch gewesen, was die Unkräuter voll ausgenutzt hatten.

Louise, ein Stadtkind, entschied, daß wenn sie je einen Garten haben würde, er niemals einen Steingarten enthalten sollte, aus dem das Unkraut per Hand gezupft werden müßte. Dann machte sie sich an ihre Arbeit.

Als Mrs. Cresswell um halb zwölf die Bibliothek mit dem Kaffeetablett betrat, war sie spürbar sehr schlechter Laune. Unsanft stellte sie das Tablett auf dem Tisch ab und äußerte beziehungslos in den Raum:

«Gesellschaft zum Mittagessen – und nichts im Haus! Wie soll ich das machen, das möchte ich gerne wissen? Und kein Schimmer von Alfred.»

"He was sweeping in the drive when I got here," Louise offered.

"I daresay. A nice soft job."

Mrs. Cresswell swept out of the room, slamming the door behind her. Louise grinned to herself. She wondered what "the nephew" would be like.

She finished her coffee and settled down to her work again. It was so absorbing that time passed quickly. Nathaniel Greenshaw, when he started to keep a diary, had succumbed to the pleasures of frankness. Typing out a passage relating to the personal charms of a barmaid in the neighboring town, Louise reflected that a good deal of editing would be necessary.

As she was thinking this, she was startled by a scream from the garden. Jumping up, she ran to the open window. Below her Miss Greenshaw was staggering away from the rockery toward the house. Her hands were clasped to her breast and between her hands there protruded a feathered shaft that Louise recognized with stupefaction to be the shaft of an arrow.

Miss Greenshaw's head, in its battered straw hat, fell forward on her breast. She called up to Louise in a failing voice: "... shot ... he shot me ... with an arrow ... get help ..."

Louise rushed to the door. She turned the handle, but the door would not open. It took her a moment or two of futile endeavor to realize that she was locked in. She ran back to the window and called down.

"I'm locked in!"

Miss Greenshaw, her back toward Louise and swaying a little on her feet, was calling up to the housekeeeper at a window farther along.

"Ring police ... telephone ..."

Then, lurching from side to side like a drunkard, Miss Greenshaw disappeared from Louise's view through the window and staggered into the drawing-room on the ground floor. A moment later Louise

«Er kehrte die Einfahrt, als ich hier ankam», brachte Louise vor.

«Ich muß schon sagen. Eine hübsche leichte Beschäftigung.»

Mrs. Cresswell fegte aus dem Zimmer und knallte die Tür hinter sich zu. Louise schmunzelte vor sich hin. Sie fragte sich, wie «der Neffe» wohl sein würde.

Sie trank den Kaffee aus und begab sich wieder an die Arbeit. Sie war so fesselnd, daß die Zeit rasch verstrich. Als Nathaniel Greenshaw begonnen hatte Tagebuch zu führen, war er der Lust zur Offenheit erlegen.

Beim Abtippen eines Abschnittes, der die äußeren Reize einer Bardame aus der benachbarten Stadt schilderte, sann Louise vor sich hin, daß eine Menge Bearbeitung notwendig sein würde.

Wie sie darüber nachdachte, wurde sie durch einen Schrei aus dem Garten aufgeschreckt. Sie schnellte hoch und rannte zum geöffneten Fenster. Unterhalb von ihr torkelte Miss Greenshaw aus dem Steingarten zum Haus.

Die Hände hatte sie gegen die Brust gedrückt, und zwischen ihren Händen stak ein gefiederter Schaft, den Louise mit Bestürzung als den Schaft eines Pfeiles erkannte.

Miss Greenshaws Kopf unter dem abgenutzten Strohhut sackte vornüber auf die Brust. Mit versagender Stimme rief sie hinauf zu Louise: «...geschossen ... er hat auf mich geschossen ... mit einem Pfeil ... holen Sie Hilfe...»

Louise stürzte zur Tür. Sie drehte den Türknopf, doch die Tür ließ sich nicht öffnen. Es kostete sie ein oder zwei Augenblicke fruchtlosen Bemühens, um sich klar zu werden, daß sie eingesperrt war. Sie lief zurück zum Fenster und rief hinunter.

«Ich bin eingesperrt!»

Miss Greenshaw mit dem Rücken zu Louise und leicht auf den Füßen schwankend, rief hinauf zur Wirtschafterin in einem weiter entfernt liegenden Fenster.

«Polizei anrufen ... Telefon...»

Und dann, hin- und hertaumelnd wie ein Betrunkener, verschwand Miss Greenshaw aus dem Blickfeld von Louises Fenster und wankte in den ebenerdigen Wohnraum. Gleich danach hörte Louise das Geklirr zerschellenden Porzellans, einen dumpfen

heard a crash of broken china, a heavy fall, and then silence. Her imagination reconstructed the scene. Miss Greenshaw must have stumbled blindly into a small table with a Sèvres tea set on it.

Desperately Louise pounded on the library door, calling and shouting. There was no creeper or drainpipe outside the window that could help her to get out that way.

Tired at last of beating on the door, Louise returned to the window. From the window of her sitting-room farther along, the housekeeper's head appeared.

"Come and let me out, Mrs. Oxley. I'm locked in."

"So am I."

"Oh, dear, isn't it awful? I've telephoned the police. There's an extension in this room, but what I can't understand, Mrs. Oxley, is our being locked in. *I* never heard a key turn, did you?"

"No. I didn't hear anything at all. Oh, dear, what shall we do? Perhaps Alfred might hear us." Louise shouted at the top of her voice, "Alfred, Alfred."

"Gone to his dinner as likely as not. What time is it?"

Louise glanced at her watch.

"Twenty-five past twelve."

"He's not supposed to go until half-past, but he sneaks off earlier whenever he can."

"Do you think – do you think –"

Louise meant to ask "Do you think she's dead?" – but the words stuck in her throat.

There was nothing to do but wait. She sat down on the window sill. It seemed an eternity before the stolid helmeted figure of a police constable came round the corner of the house. She leaned out of the window and he looked up at her, shading his eyes with his hand.

"What's going on here?" he demanded.

From their respective windows, Louise and Mrs. Cresswell poured a flood of excited information down on him.

The constable produced a notebook and a pencil.

Fall und dann Schweigen. In ihrer Einbildungskraft konnte sie sich das Geschehen vorstellen. Miss Greenshaw mußte blindlings gegen einen kleinen Tisch, beladen mit einem Sèvres Gedeck, gestolpert sein.

Verzweifelt hämmerte Louise gegen die Bibliothekstür, rufend und schreiend. Es gab kein Klettergewächs noch ein Dachrohr außerhalb des Fensters, die ihr hätten behilflich sein können, auf diesem Weg hinauszugelangen.

Des Schlagens gegen die Tür müde, kehrte Louise zum Fenster zurück. Aus dem Fenster ihres Wohnzimmers weiter entfernt kam der Kopf der Wirtschafterin zum Vorschein.

«Kommen Sie, und lassen Sie mich heraus, Mrs. Oxley. Ich bin eingesperrt.»

«Ich auch.»

«Ach je, ist das nicht entsetzlich? Ich habe die Polizei angerufen. In diesem Zimmer gibt es einen Nebenanschluß, doch ich kann gar nicht verstehen, Mrs. Oxley, daß wir beide eingesperrt sind. Ich habe nicht den Schlüssel im Schloß gehört, oder Sie?»

«Nein. Ich habe überhaupt nichts gehört. Du lieber Gott, was sollen wir tun? Vielleicht hört uns Alfred.» Louise rief aus vollem Halse: «Alfred, Alfred.»

«Zum Essen gegangen, wahrscheinlich. Wie spät ist es?»

Louise blickte auf ihre Uhr.

«Fünfundzwanzig nach zwölf.»

«Eigentlich soll er nicht vor halb eins gehen, doch wann immer er kann, macht er sich früher davon.»

«Glauben Sie – glauben Sie –»

Louise wollte fragen: «Glauben Sie, daß sie tot ist?» – doch die Worte blieben ihr im Halse stecken.

Es blieb nichts übrig, als zu warten. Sie setzte sich aufs Fensterbrett. Es erschien ihr wie eine Ewigkeit, bis die schwerfällige behelmte Gestalt eines Polizisten um die Ecke des Hauses bog. Sie lehnte sich aus dem Fenster, und er schaute zu ihr hinauf und beschattete die Augen mit der Hand.

«Was geht hier vor?» fragte er.

Von den jeweiligen Fenstern schütteten Louise und Mrs. Cresswell eine Flut von aufgeregten Auskünften zu ihm hinunter.

Der Polizist zog ein Notizbuch und einen Bleistift hervor.

"You ladies ran upstairs and locked yourselves in? Can I have your names, please?"

"Somebody locked us in. Come and let us out."

The constable said reprovingly, "All in good time," and disappeared through the French window below.

Once again time seemed infinite. Louise heard the sound of a car arriving, and, after what seemed an hour, but was actually only three minutes,

first Mrs. Cresswell and then Louise were released by a police sergeant more alert than the original constable.

"Miss Greenshaw?" Louise's voice faltered. "What – what's happened?"

The sergeant cleared his throat.

"I'm sorry to have to tell you, madam," he said, "what I've already told Mrs. Cresswell here. Miss Greenshaw is dead."

"Murdered," said Mrs. Cresswell. "That's what it is – murder."

The sergeant said dubiously, "Could have been an accident – some country lads shooting arrows."

Again there was the sound of a car arriving.

The sergeant said, "That'll be the M.O." and he started downstairs.

But it was not the M.O. As Louise and Mrs. Cresswell came down the stairs, a young man stepped hesitatingly through the front door and paused, looking round him with a somewhat bewildered air.

Then, speaking in a pleasant voice that in some way seemed familiar to Louise – perhaps it reminded her of Miss Greenshaw's – he asked, "Excuse me, does – er – does Miss Greenshaw live here?"

"May I have your name if you please," said the sergeant, advancing upon him.

"Fletcher," said the young man. "Nat Fletcher. I'm Miss Greenshaw's nephew, as a matter of fact."

"Indeed, sir, well – I'm sorry –"

"Has anything happened?" asked Nat Fletcher.

«Die Damen sind nach oben gelaufen und haben sich eingesperrt? Kann ich bitte Ihre Namen haben?»

«Jemand hat uns eingesperrt. Lassen Sie uns bitte raus.»

Der Polizist sagte tadelnd: «Alles zu seiner Zeit», und verschwand unten durch die Verandatür.

Wieder schien es endlos zu dauern. Louise vernahm das Geräusch eines eintreffenden Autos, und nachdem, wie es schien,
eine Stunde, doch in Wirklichkeit nur drei Minuten vergangen
waren, wurden zuerst Mrs. Cresswell und dann Louise von
einem Polizeibeamten befreit, der etwas flinker war als der erste
Polizist.

«Miss Greenshaw?» Louises Stimme kam zögernd. «Was –
was ist passiert?»

Der Sergeant räusperte sich.

«Es tut mir leid, Ihnen mitteilen zu müssen, Madam», sagte
er, «was ich hier auch schon Mrs. Cresswell gesagt habe. Miss
Greenshaw ist tot.»

«Ermordet», sagte Mrs. Cresswell. «Genau das ist es –
Mord.»

Der Sergeant sagte zweifelnd: «Könnte ein Unfall gewesen
sein – irgendwelche Landjugend, die mit Pfeilen schoß.»

Wieder war das Geräusch eines eintreffenden Wagens zu
vernehmen.

Der Sergeant sagte: «Das wird der Polizeiarzt sein», und
begab sich hinunter.

Aber es war nicht der Polizeiarzt. Als Louise und Mrs. Cresswell die Treppe herabkamen, trat ein junger Mann zögernd
durch die Eingangstür, hielt inne und blickte mit einer verwirr-
ten Miene um sich.

Dann fragte er mit angenehmer Stimme, die Louise irgend-
wie bekannt vorkam – vielleicht wurde sie an die von Miss
Greenshaw erinnert: «Entschuldigen Sie, lebt – eh – lebt Miss
Greenshaw hier?»

«Kann ich Ihren Namen haben, wenn ich bitten darf», sagte
der Sergeant und trat auf ihn zu.

«Fletcher», sagte der junge Mann. «Nat Fletcher. Ich bin Miss
Greenshaw's Neffe, um die Wahrheit zu sagen.»

«Wirklich, mein Herr, nun – es tut mir leid –»

«Ist irgend etwas vorgefallen?» fragte Nat Fletcher.

"There's been an – accident. Your aunt was shot with an arrow – penetrated the jugular vein –"

Mrs. Cresswell spoke hysterically and without her usual refinement: "Your h'aunt's been murdered, that's what's 'appened. Your h'aunt's been murdered."

Inspector Welch drew his chair a little nearer to the table and let his gaze wander from one to the other of the four people in the room. It was evening of the same day. He had called at the Wests' house to take Louise Oxley once more over her statement.

"You are sure of the exact words? *Shot – he shot me – with an arrow – get help?*"

Louise nodded.

"And the time?"

"I looked at my watch a minute or two later – it was then 12 : 25 –"

"Your watch keeps good time?"

" I looked at the clock as well." Louise left no doubt of her accuracy.

The Inspector turned to Raymond West.

"It appears, sir, that about a week ago you and a Mr. Horace Bindler were witnesses to Miss Greenshaw's will?"

Briefly, Raymond recounted the events of the afternoon visit he and Horace Bindler had paid to Greenshaw's Folly.

"This testimony of yours may be important," said Welch. "Miss Greenshaw distinctly told you, did she, that her will was being made in favor of Mrs. Cresswell, the housekeeper, and that she was not paying Mrs. Cresswell any wages in view of the expectations Mrs. Cresswell had of profiting by her death?"

"That is what she told me – yes."

"Would you say that Mrs. Cresswell was definitely aware of these facts?"

"I should say undoubtedly. Miss Greenshaw made a reference in my presence to beneficiaries not being able to witness a will and Mrs. Cresswell clearly un-

«Es hat einen – Unfall – gegeben. Ihre Tante wurde mit einem Pfeil erschossen – durchdrang die Halsschlagader –»

Mrs. Cresswell sprach übermäßig erregt und ohne ihre übliche Vornehmheit: «Ihre Tante is ermordet, das is vorgefallen. Ihre Tante is ermordet.»

Inspektor Welch zog seinen Stuhl ein wenig näher an den Tisch und ließ seinen Blick über die vier Leute im Zimmer von einem zum anderen wandern. Es war der Abend desselben Tages. Er hatte das Haus der Wests aufgesucht, um Louise Oxley nochmals wegen ihrer Aussage zu vernehmen.

«Sie sind sich des genauen Wortlauts sicher? ‹Geschossen – er hat auf mich geschossen – mit einem Pfeil – holen Sie Hilfe›?»

Louise nickte.

«Und die Uhrzeit?»

«Ein oder zwei Minuten später habe ich auf meine Armbanduhr geschaut – es war dann zwölf Uhr fünfundzwanzig –»

«Ihre Uhr geht richtig?»

«Ich habe ebenso auf die Standuhr geguckt.»

Louise ließ keinen Zweifel an ihrer Sorgfalt aufkommen.

Der Inspektor wandte sich an Raymond West.

«Es scheint, mein Herr, daß Sie und ein Mr. Horace Bindler vor einer Woche Miss Greenshaws Testament beglaubigt haben?»

Raymond berichtete kurz die Ereignisse des Nachmittagsbesuchs, den er und Horace Bindler Grennshaw's Wahn abgestattet hatten.

«Ihre Zeugenaussage wird vielleicht wichtig sein», sagte Welch. «Miss Greenshaw hat Ihnen eindeutig zu verstehen gegeben, nicht wahr, daß ihr Testament zu Gunsten von Mrs. Cresswell, der Wirtschafterin, abgefaßt sei und daß sie Mrs. Cresswell keinerlei Lohn zahle im Hinblick auf die Aussichten, die Mrs. Cresswell habe, aus ihrem Ableben Nutzen zu ziehen?»

«Das war es, was sie mir sagte – ja.»

«Würden Sie sagen, daß Mrs. Cresswell sich dieser Tatsache eindeutig bewußt war?»

«Das würde ich sagen, ganz zweifellos. Miss Greenshaw machte in meiner Gegenwart eine Andeutung, daß Erbberechtigte eines Testamentes nicht befugt seien, es zu beglaubigen, und

derstood what she meant by it. Moreover, Miss Greenshaw herself told me that she had come to this arrangement with Mrs. Cresswell."

"So Mrs. Cresswell had reason to believe she was an interested party. Motive clear enough in her case, and I daresay she'd be our chief suspect now if it wasn't for the fact that she was securely locked in her room like Mrs. Oxley here, and also that Miss Greenshaw definitely said a *man shot* her –"

"She definitely *was* locked in her room?"

"Oh, yes. Sergeant Cayley let her out. It's a big old-fashioned lock with a big old-fashioned key. The key was in the lock and there's not a chance that it could have been turned from inside or any hankypanky of that kind. No, you can *take* it definitely that Mrs. Cresswell was locked inside that room and couldn't get out. And there were no bows and arrows in the room and Miss Greenshaw couldn't in any case have been shot from her window – the angle forbids it. No, Mrs. Cresswell's out."

He paused, then went on: "Would you say that Miss Greenshaw, in your opinion, was a practical joker?"

Miss Marple looked up sharply from her corner.

"So the will wasn't in Mrs. Cresswell's favor after all?" she said.

Inspector Welch looked over at her in a rather surprised fashion.

"That's a very clever guess of yours, madam," he said. "No. Mrs. Cresswell isn't named as beneficiary."

"Just like Mr. Naysmith," said Miss Marple, nodding her head. "Miss Greenshaw told Mrs. Cresswell she was going to leave her everything and so got out of paying her wages; and then she left her money to somebody else. No doubt she was vastly pleased with herself. No wonder she chortled when she put the will away in *Lady Audley's Secret.*"

"It was lucky Mrs. Oxley was able to tell us about

Mrs. Cresswell verstand deutlich, was sie damit meinte. Außerdem erzählte Miss Greenshaw mir selbst, daß sie mit Mrs. Cresswell diese Übereinkunft getroffen habe.»

«So hatte Mrs. Cresswell allen Grund anzunehmen, daß sie profitieren würde. Das Motiv ist in ihrem Fall einleuchtend genug, und ich nehme an, sie wäre jetzt unsere Hauptverdächtige, wenn sie nicht tatsächlich fest in ihrem Zimmer eingeschlossen gewesen wäre, wie auch Mrs. Oxley hier, und wenn nicht weiterhin Miss Greenshaw eindeutig gesagt hätte, ein Mann habe auf sie geschossen –»

«War sie eindeutig in ihrem Zimmer eingeschlossen?»

«Oh ja. Sergeant Cayley ließ sie heraus. Es ist ein großes, altmodisches Schloß mit einem großen altmodischen Schlüssel. Der Schlüssel stak im Schloß, und es besteht keine Möglichkeit, daß er von innen hätte gedreht werden können oder ähnlicher Hokuspokus. Nein, es ist eindeutig, daß Mrs. Cresswell in jenem Zimmer eingeschlossen war und nicht herauskonnte. Und es waren weder Bogen noch Pfeile in dem Zimmer, und Miss Greenshaw könnte auf keinen Fall von ihrem Fenster aus getroffen worden sein – der Winkel läßt das nicht zu. Nein. Mrs. Cresswell scheidet aus.»

Er verweilte und fuhr dann fort: «Würden Sie sagen, daß Miss Greenshaw Ihrer Meinung nach ein ausgemachter Spaßvogel war?»

Miss Marple schaute von ihrer Ecke her jäh auf.

«So war das Testament also doch nicht zu Mrs. Cresswell's Gunsten?» sagte sie.

Inspektor Welch blickte völlig verblüfft zu ihr hinüber.

«Das ist eine sehr gescheite Vermutung von Ihnen, Madam», sagte er. «Nein. Mrs. Cresswell ist nicht als Erbberechtigte genannt.»

«Genau wie Mr. Naysmith», sagte Miss Marple mit nickendem Kopf. «Miss Greenshaw teilte Mrs. Cresswell mit, daß sie ihr alles hinterlassen würde und vermied auf diese Weise, ihr Lohn zu zahlen; und dann vermachte sie ihr Geld irgend jemand anderem. Zweifellos war sie mit sich höchst zufrieden. Kein Wunder, daß sie sich ins Fäustchen lachte, als sie das Testament wegsteckte in ‹Lady Audley's Geheimnis›.»

«Es war ein Glück, daß Mrs. Oxley uns von dem Testament

the will and where it was put," said the Inspector. "We might have had a long hunt for it otherwise."

"A Victorian sense of humor," murmured Raymond West.

"So she left her money to her nephew after all," said Louise.

The Inspector shook his head.

"No," he said, "she didn't leave it to Nat Fletcher. The story goes around here – of course I'm new to the place and I only get the gossip that's second-hand – but it seems that in the old days both Miss Greenshaw and her sister were set on the handsome young riding master, and the sister got him. No, she didn't leave the money to her nephew –" Inspector Welch paused, rubbing his chin. "She left it to Alfred," he said.

"Alfred – the gardener?" Joan spoke in a surprised voice.

"Yes, Mrs. West. Alfred Pollock."

"But why?" cried Louise.

Miss Marple coughed and murmured, "I would imagine, though perhaps I am wrong, that there may have been – what we might call *family* reasons."

"You could call them that in a way," agreed the Inspector. "It's quite well-known in the village, it seems, that Thomas Pollock, Alfred's grandfather, was one of old Mr. Greenshaw's by-blows."

"Of course," cried Louise, "the resemblance!"

She remembered how after passing Alfred she had come into the house and looked up at old Greenshaw's portrait.

"I daresay," said Miss Marple, "that she thought Alfred Pollock might have a pride in the house, might even want to live in it, whereas her nephew would almost certainly have no use for it whatever and would sell it as soon as he could possibly do so. He's an actor, isn't he? What play exactly is he acting in at present?"

Trust an old lady to wander from the point, thought

berichten konnte und wo es aufbewahrt war», sagte der Inspektor. «Andernfalls hätten wir lange danach suchen können.»

«Ein viktorianischer Sinn für Humor», murmelte Raymond West.

«So hatte sie ihr Geld also doch ihrem Neffen hinterlassen», sagte Louise.

Der Inspektor schüttelte den Kopf.

«Nein», sagte er, «sie hinterließ es nicht Nat Fletcher. Die Geschichte macht hier die Runde – ich bin natürlich noch neu am Ort und bekomme den Klatsch nur aus zweiter Hand – aber es hat den Anschein, daß seinerzeit beide, Miss Greenshaw und ihre Schwester, es auf den hübschen jungen Reitlehrer abgesehen hatten, und die Schwester hat ihn bekommen. Nein, sie hinterließ das Geld nicht ihrem Neffen –» Inspektor Welch unterbrach und rieb sich das Kinn. «Sie hinterließ es Alfred», sagte er.

«Alfred – dem Gärtner?» Joans Stimme war voller Überraschung.

«Ja, Mrs. West, Alfred Pollock.

«Aber warum?» rief Louise.

Miss Marple hüstelte und murmelte: «Ich könnte mir vorstellen, obwohl ich mich auch irren mag, daß möglicherweise etwas vorhanden war – was wir als Familiensinn bezeichnen würden.»

«So könnte man es gewissermaßen nennen», pflichtete der Inspektor bei. «Im Dorf weiß man anscheinend sehr genau, daß Thomas Pollock, Alfreds Großvater, einer der Seitensprünge vom alten Mr. Greenshaw war.»

«Natürlich», rief Louise, «die Ähnlichkeit!»

Sie erinnerte sich, wie sie an Alfred vorbei ins Haus gekommen war und zum Bildnis des alten Greenshaw aufgeblickt hatte.

«Ich nehme an», sagte Miss Marple, «daß sie sich vorstellte, Alfred Pollock würde stolz auf das Haus sein, vielleicht sogar darin leben wollen, während es ihrem Neffen fast sicher nicht von Nutzen sein würde, wie auch immer, und er es so schnell wie möglich verkaufen würde. Er ist Schauspieler, nicht wahr? In welchem Stück eigentlich hat er jetzt dort eine Rolle?»

Verlaß dich drauf, daß alte Damen vom Thema abschweifen,

Inspector Welch; but he replied civilly, "I believe madam, they are doing a season of Sir James M. Barrie's plays."

"Barrie," said Miss Marple thoughtfully.

"What Every Woman Knows," said Inspector Welch, and then blushed. "Name of a play," he said quickly. "I'm not much of a theater-goer myself," he added, "but the wife went along and saw it last week. Quite well done, she said it was."

"Barrie wrote some very charming plays," said Miss Marple, "though I must say that when I went with an old friend of mine, General Easterly, to see Barrie's *Little Mary* —" she shook her head sadly "— neither of us knew where to look."

The Inspector, unacquainted with the play *Little Mary*, seemed completely fogged.

Miss Marple explained: "When I was a girl, Inspector, nobody ever mentioned the word *stomach*."

The Inspector looked even more at sea. Miss Marple was murmuring titles under her breath.

"The Admirable Crichton. Very clever. *Mary Rose* — a charming play. I cried, I remember. *Quality Street* I didn't care for so much. Then there was *A Kiss for Cinderella.* Oh, of course!"

Inspector Welch had no time to waste on theatrical discussion. He returned to the matter at hand.

"The question is," he said, "did Alfred Pollock know the old lady had made a will in his favor? Did she tell him?" He added, "You see — there's an Archery Club over at Boreham — and *Alfred Pollock's a member.* He's a very good shot indeed with a bow and arrow."

"Then isn't your case quite clear?" asked Raymond West. "It would fit in with the doors being locked on the two women — he'd know just where they were in the house."

The Inspector looked at him. He spoke with deep melancholy.

"He's got an alibi," said the Inspector.

dachte Inspektor Welch; doch höflich erwiderte er: «Ich glaube, Madam, sie bringen eine ganze Serie von Stücken Sir James M. Barries zur Aufführung.»

«Barrie», sagte Miss Marple gedankenvoll.

«‹What every woman knows›», sagte Inspektor Welch und errötete sogleich. «Der Titel eines Stückes», sagte er rasch. «Selber bin ich kein großer Theatergänger», fügte er hinzu, «doch meine Frau ist dort gewesen und hat es sich vergangene Woche angesehen. Ganz gut gemacht sei es, sagte sie.»

«Barrie hat einige sehr reizvolle Stücke geschrieben», sagte Miss Marple, «obwohl ich zugeben muß, daß, als ich mit einem alten Freund von mir, General Easterly, Barries ‹Little Mary› ansah –» sie schüttelte betrübt den Kopf, «– keiner von uns beiden wußte, wo wir hinschauen sollten.»

Der Inspektor, nicht vertraut mit dem Stück ‹Little Mary›, schien völlig verlegen.

Miss Marple erklärte: «Als ich ein Mädchen war, Inspektor, hat niemand auch nur je das Wort ‹Bauch› in den Mund genommen.»

Der Inspektor schaute noch hilfloser drein. Miss Marple murmelte Titel von Stücken vor sich hin.

«‹The Admirable Crichton›. Sehr gescheit. ‹Mary Rose› – ein entzückendes Stück. Ich weiß noch, daß ich geweint habe. ‹Quality Street› hat mir nicht so gelegen. Dann gab es noch ‹A Kiss vor Cinderella›. Oh, natürlich!»

Inspektor Welch hatte nicht die Zeit, um sie mit Geplauder über das Theater zu vergeuden. Er kam auf die anstehende Sache zurück.

«Die Frage ist», sagte er, «wußte Alfred Pollock, daß die alte Dame ein Testament zu seinen Gunsten gemacht hatte? Hat sie es ihm gesagt?» Er fügte hinzu: «Sehen Sie – es gibt einen Bogenschützenverein drüben in Boreham – und Alfred Pollock ist dort Mitglied. Er ist ein wirklich sehr guter Bogenschütze.»

«Liegt dann Ihr Fall nicht völlig klar?» fragte Raymond West. «Es würde zu den Türen passen, die hinter beiden Frauen verschlossen waren – er hätte genau gewußt, wo im Hause sie sich aufhielten.»

Der Inspektor schaute ihn an. Er sprach in größtem Trübsinn.

«Er hat ein Alibi», sagte der Inspektor.

"I always think alibis are definitely suspicious," Raymond remarked.

"Maybe, sir," said Inspector Welch. "You're talking as a writer."

"I don't write detective stories," said Raymond West, horrified at the mere idea.

"Easy enough to say that alibis are suspicious," went on Inspector Welch, "but unfortunately we've got to deal with facts." He sighed. "We've got three good suspects," he went on. "Three people who, as it happened, were very close upon the scene at the time. Yet the odd thing is that it looks as though none of the three could have done it. The housekeeper I've already dealt with; the nephew, Nat Fletcher, at the moment Miss Greenshaw was shot, was a couple of miles away filling up his car at a garage and asking his way; as for Alfred Pollock, six people will swear that he entered the Dog and Duck at twenty past twelve and was there for an hour having his usual bread and cheese and beer."

"Deliberately establishing an alibi," said Raymond West hopefully.

"Maybe," said Inspector Welch, "but if so, he *did* establish it."

There was a long silence. Then Raymond turned his head to where Miss Marple sat upright and thoughtful.

"It's up to you, Aunt Jane," he said. "The Inspector's baffled, the Sergeant's baffled, I'm baffled, Joan's baffled, Louise is baffled. But to you, Aunt Jane, it is crystal clear. Am I right?"

"I wouldn't say that," said Miss Marple, "not *crystal* clear. And murder, dear Raymond, isn't a game. I don't suppose poor Miss Greenshaw wanted to die, and it was a particularly brutal murder. Very well-planned and quite cold-blooded. It's not a thing to make *jokes* about."

"I'm sorry," said Raymond. "I'm not really as callous as I sound. One treats a thing lightly to take away from the – well, the horror of it."

«Ich sage mir immer, daß Alibis auf jeden Fall verdächtig sind», bemerkte Raymond.

«Mag sein, mein Herr», sagte Inspektor Welch. «Sie reden als Schriftsteller.»

«Ich schreibe keine Detektivromane», sagte Raymond West, von der bloßen Vorstellung geschockt.

«Freilich ist es leicht zu sagen, daß Alibis verdächtig seien», fuhr Inspektor Welch fort, «doch unglücklicherweise haben wir es mit Tatsachen zu tun.» Er seufzte «Wir haben drei reichlich Verdächtige», fuhr er fort. «Drei Personen, die gerade sehr dicht am Geschehen waren, als es sich ereignete. Und trotzdem, wie sonderbar, hat es den Anschein, als ob keiner der drei es getan haben könnte. Mit der Wirtschafterin habe ich mich schon befaßt; der Neffe, Nat Fletcher, war zum Zeitpunkt, als Miss Greenshaw erschossen wurde, einige Meilen entfernt und tankte seinen Wagen bei einer Garage auf und erkundigte sich nach dem Weg. Was Alfred Pollock anbelangt, so wollen sechs Leute beschwören, daß er das ‹Dog and Duck› um zwanzig nach zwölf betrat, sich dort eine Stunde lang aufhielt und wie gewöhnlich Brot, Käse und Bier zu sich nahm.»

«Wohlweislich sich ein Alibi verschafft», sagte Raymond West hoffnungsvoll.

«Mag sein», sagte Inspektor Welch, «doch wäre es so, so *hat* er es sich eben verschafft.»

Langes Schweigen trat ein. Dann wandte Raymond seinen Kopf dorthin, wo Miss Marple aufrecht und gedankenvoll saß.

«Jetzt liegt es an dir, Tante Jane», sagte er. «Der Inspektor ist verwirrt, der Sergeant ist verwirrt, ich bin verwirrt, Joan ist verwirrt, Louise ist verwirrt. Doch dir, Tante Jane, ist es glasklar. Hab ich recht?»

«Das möchte ich nicht behaupten», sagte Miss Marple, «nicht glasklar. Und Mord, mein lieber Raymond, ist kein Spiel. Ich nehme nicht an, daß die arme Miss Greenshaw sterben wollte, und es war ein besonders gemeiner Mord. Sehr gut geplant und völlig kaltblütig. Es ist keine Angelegenheit, um Scherz damit zu treiben.»

«Tut mir leid», sagte Raymond. «Ich bin nicht wirklich so gefühllos, wie es klingt. Man behandelt eine Sache leichtfertig, um – nun ja, um ihr das Entsetzliche zu nehmen.»

"That is, I believe, the modern tendency," said Miss Marple. "All these wars, and having to joke about funerals. Yes, perhaps I was thoughtless when I implied that you were callous."

"It isn't," said Joan, "as though we'd known her at all well."

"That is *very* true," said Miss Marple. "You, dear Joan, did not know her at all. I did not know her at all. Raymond gathered an impression of her from one afternoon's conversation. Louise knew her for only two days."

"Come now, Aunt Jane," said Raymond, "tell us your views. You don't mind, Inspector?"

"Not at all," said the Inspector politely.

"Well, my dear, it would seem that we have three people who had – or might have thought they had – a motive to kill the old lady. And three quite simple reasons why none of the three could have done so. The housekeeper could not have killed Miss Greenshaw because she was locked in her room and because her mistress definitely stated that a *man* shot her. The gardener was inside the Dog and Duck at the time, the nephew at the garage."

"Very clearly put, madam," said the Inspector.

"And since it seems most unlikely that any outsider should have done it, where, then, are we?"

"That's what the Inspector wants to know," said Raymond West.

"One so often looks at a thing the wrong way round," said Miss Marple apologetically. "If we can't alter the movements or the positions of those three people, then couldn't we perhaps alter the time of the murder?"

"You mean that both my watch and the clock were wrong?" asked Louise.

"No, dear," said Miss Marple, "I didnt' mean that at all. I mean that the murder didn't occur when you thought it occurred."

"But I *saw* it," cried Louise.

«Ich glaube, das ist der neuzeitliche Trend», sagte Miss Marple. «All diese Kriege, und daß man glaubt, bei Beerdigungen scherzen zu müssen. Ja, vielleicht war es gedankenlos, als ich andeutete, du seiest gefühllos.»

«Es ist ja nun nicht so», sagte Joan, «als ob wir sie eigentlich gut gekannt hätten.»

«Das ist sehr wahr», sagte Miss Marple. «Du, liebe Joan, kanntest sie überhaupt nicht. Ich kannte sie überhaupt nicht. Raymond konnte nur während einer einzigen Nachmittagsunterhaltung einen Eindruck von ihr gewinnen. Louise kannte sie erst seit zwei Tagen.»

«Nun komm schon, Tante Jane», sagte Raymond, «eröffne uns deine Ansichten. Es stört Sie doch nicht, Inspektor?»

«Überhaupt nicht», sagte der Inspektor höflich.

«Nun, mein Lieber, es scheint so, daß wir drei Personen haben, die ein Motiv hatten – oder möglicherweise glaubten eins zu haben – die alte Dame umzubringen. Und drei ganz einfache Gründe, warum keiner der drei es getan haben kann. Die Wirtschafterin konnte Miss Greenshaw nicht getötet haben, weil sie in ihrem Zimmer eingeschlossen war, und weil ihre Herrin eindeutig angab, daß ein Mann auf sie schoß. Der Gärtner befand sich zum Zeitpunkt im ‹Dog and Duck›, der Neffe beim Tanken.»

«Sehr klar gebracht, Madam», sagte der Inspektor.

«Und da es höchst unglaubhaft scheint, daß irgendein Außenstehender es getan haben sollte, so ist die Frage, wie wir uns dazu stellen sollen?»

«Das ist es, was der Inspektor zu wissen wünscht», sagte Raymond.

«So häufig sieht man eine Sache von der falschen Seite», sagte Miss Marple entschuldigend. «Wenn wir Tun sowie Standort dieser drei Personen nicht ändern können, dann wäre es vielleicht möglich, den Zeitpunkt des Mordes zu ändern?»

«Du meinst, daß sowohl meine Uhr, als auch die Standuhr falsch gingen?» fragte Louise.

«Nein, mein Liebes», sagte Miss Marple, «das meinte ich überhaupt nicht. Ich meine, daß der Mord nicht geschah, als du glaubtest, daß er geschah.»

«Aber ich habe es doch gesehen», rief Louise.

"Well, what I have been wondering, my dear, was whether you weren't *meant* to see it. I've been asking myself, you know, whether that wasn't the real reason why you were engaged for this job."

"What *do* you mean, Aunt Jane?"

"Well, dear, it seems odd. Miss Greenshaw did not like spending money – yet she engaged you and agreed quite willingly to the terms you asked. It seems to me that perhaps you were meant to be there in that library on the second floor, looking out of the window so that you could be the key witness – someone from outside of irreproachably good character – to fix a definite time and place for the murder."

"But you can't mean," said Louise, incredulously, "that Miss Greenshaw *intended* to be murdered."

"What I mean, dear," said Miss Marple, "is that you didn't really know Miss Greenshaw. There's no real reason, is there, why the Miss Greenshaw you saw when you went up to the house should be the same Miss Greenshaw that Raymond saw a few days earlier? Oh, yes, I know," she went on, to prevent Louise's reply, "she was wearing the peculiar old-fashioned print dress and the strange straw hat, and had unkempt hair. She corresponded exactly to the description Raymond gave us last weekend. But those two women, you know, were much the same age, height, and size. The housekeeper, I mean, and Miss Greenshaw."

"But the housekeeper is fat!" Louise exclaimed. "She's got an enormous bosom."

Miss Marple coughed.

"But my dear, surely, nowadays I have seen – er – them myself in shops most indelicately displayed. It is very easy for anyone to have a – a bosom – of *any* size and dimension."

"What are you trying to say?" demanded Raymond.

"I was just thinking that during the two days Louise was working there, one woman could have

«Nun, was mich beschäftigt, meine Liebe, ist, ob es nicht beabsichtigt war, daß du es siehst. Ich habe mich gefragt, weißt du, ob das nicht der eigentliche Grund war, weshalb du für diese Arbeit eingestellt wurdest.»

«Was willst du damit sagen, Tante Jane?»

«Nun, Liebe, es ist doch seltsam. Miss Greenshaw schätzte es nicht, Geld auszugeben – dennoch stellte sie dich ein und nahm bereitwillig deine Bedingungen an. Es scheint mir, daß du vielleicht absichtlich in jener Bibliothek im zweiten Stock sein solltest, mit dem Blick nach draußen, so daß du der Kronzeuge sein könntest – jemand Außenstehendes mit untadelig gutem Leumund – um den genauen Zeitpunkt und den Ort des Mordes festzuhalten.»

«Aber du willst doch nicht sagen», meinte Louise ungläubig, «daß Miss Greenshaw die Absicht hatte, ermordet zu werden.»

«Was ich sagen will, Liebes», kam es von Miss Marple, «ist dies, daß du Miss Greenshaw in Wirklichkeit nicht gekannt hast. Es gibt eigentlich keinen Grund, nicht wahr, warum die Miss Greenshaw, die du sahst, als du zum Haus kamst, dieselbe Miss Greenshaw sein soll, die Raymond einige Tage zuvor gesehen hat? Oh ja, ich weiß»,

fuhr sie fort, um Louises Einwand vorzubeugen, «sie trug das merkwürdige alte Kattunkleid und den ausgefallenen Strohhut und hatte ungekämmtes Haar. Sie entsprach völlig der Beschreibung, die Raymond uns am vergangenen Wochenende gab. Doch jene beiden Damen, weißt du, waren so ziemlich gleichaltrig, von ähnlichem Wuchs und Umfang. Die Wirtschafterin, meine ich, und Miss Greenshaw.»

«Aber die Wirtschafterin ist korpulent!» ereiferte sich Louise. «Sie hat einen mächtigen Busen.»

Miss Marple hustete.

«Aber meine Liebe, sicherlich, heutzutage habe ich sie selbst – hm – in Geschäften höchst unfein ausgestellt gesehen. Es ist für jeden sehr leicht einen – einen Busen – jeglicher Größe und jeglichen Ausmaßes zu haben.»

«Worauf willst du hinaus?» verlangte Raymond zu wissen.

«Ich habe mir nur überlegt, daß während der beiden Tage, an denen Louise dort arbeitete, eine Frau beide Rollen gespielt

played both parts. You said yourself, Louise, that you hardly saw the housekeeper, except for the one minute in the morning when she brought you the tray with coffee. One sees those clever artists on the stage coming in as different characters with only a moment or two to spare, and I am sure the change could have been effected quite easily. That marquise headdress could be just a wig slipped on and off."

"Aunt Jane! Do you mean that Miss Greenshaw was dead before I started work there?"

"Not dead. Kept under drugs, I should say. A very easy job for an unscrupulous woman like the house-keeper to do. Then she made the arrangements with you and got you to telephone to the nephew to ask him to lunch at a definite time. The only person who would have known that this Miss Greenshaw was *not* Miss Greenshaw would have been Alfred. And if you remember, the first two days you were working there it was wet, and Miss Greenshaw stayed in the house. Alfred never came into the house because of his feud with the housekeeper. And on the last morning Alfred was in the drive, while Miss Greenshaw was working on the rockery – I'd like to have a look at that rockery."

"Do you mean it was Mrs. Cresswell who killed Miss Greenshaw?"

"I think that after bringing you your coffee, the housekeeper locked the door on you as she went out, then carried the unconscious Miss Greenshaw down to the drawing-room, then assumed her 'Miss Green-shaw' disguise and went out to work on the rockery where you could see her from the upstairs window. In due course she screamed and came staggering to the house clutching an arrow as though it had penetrated her throat. She called for help and was careful to say '*he* shot me' so as to remove suspicion from the housekeeper – from herself. She also called up to the housekeeper's window as though she saw her there. Then, once inside the drawing-room, she threw over

haben könnte. Du sagtest selbst, Louise, daß du die Wirtschafterin kaum zu Gesicht bekamst, außer der einen Minute vormittags, als sie dir das Tablett mit dem Kaffee brachte. Man kennt solche geschickten Künstler auf der Bühne, die in verschiedenen Rollen auftreten und nur einen oder zwei Augenblicke dafür benötigen; und ich bin überzeugt, diese Verwandlung konnte sehr leicht bewerkstelligt werden. Dieser marquisenhafte Kopfschmuck ist vielleicht nur eine Perücke, die man aufsetzt und abnimmt.»

«Tante Jane! Glaubst du, Miss Greenshaw war tot, bevor ich dort mit der Arbeit begann?»

«Nicht tot. Unter Drogen gehalten, würde ich denken. Eine sehr leichte Aufgabe für eine gewissenlose Frau wie die Wirtschafterin. Dann traf sie mit dir die Vereinbarungen und ließ dich den Neffen anrufen und ihn zu einer bestimmten Zeit zum Essen bitten.

Der einzige Mensch, der gewußt hätte, daß diese Miss Greenshaw nicht Miss Greenshaw war, wäre Alfred gewesen. Und du wirst dich erinnern, die ersten beiden Tage, an denen du dort arbeitetest, waren regnerisch, und Miss Greenshaw blieb im Haus. Alfred betrat niemals das Haus, wegen seiner Fehde mit der Wirtschafterin. Und am letzten Morgen war Alfred auf der Einfahrt, während Miss Greenshaw im Steingarten arbeitete – ich würde den Steingarten gerne mal in Augenschein nehmen.»

«Glaubst du, es war Mrs. Cresswell, die Miss Greenshaw umbrachte?»

«Ich stelle mir vor, nachdem sie dir den Kaffee gebracht hatte, verschloß die Wirtschafterin beim Hinausgehen deine Tür, trug dann die bewußtlose Miss Greenshaw hinunter in den Wohnraum und nahm danach ihre ‹Miss-Greenshaw›-Verkleidung an und ging hinaus, um im Steingarten zu arbeiten, wo du sie vom Fenster des oberen Stockwerks aus sehen konntest. Als es an der Zeit war, schrie sie und kam auf das Haus zugestolpert und umklammerte einen Pfeil, so als ob dieser ihre Kehle durchdrungen hätte. Sie rief nach Hilfe und vorbauend sagte sie ‹er hat auf mich geschossen›, um den Verdacht von der Wirtschafterin abzulenken – von sich selbst. Auch rief sie hinauf zum Fenster der Wirtschafterin, als ob diese dort zu sehen sei. Sobald sie dann im Wohnraum war, warf sie einen Tisch mit Porzellan um, lief

a table with porcelain on it, ran quickly upstairs, put on her marquise wig, and was able a few moments later to lean her head out of the window and tell you that she, too, was locked in."

"But she *was* locked in," said Louise.

"I know. That is where the policeman comes in."

"What policeman?"

"Exactly – what policeman? I wonder, Inspector, if you would mind telling me how and when *you* arrived on the scene?"

The Inspector looked a little puzzled.

"At 12 : 29 we received a telephone call from Mrs. Cresswell, housekeeper to Miss Greenshaw, stating that her mistress had been shot. Sergeant Cayley and myself went out there at once in a car and arrived at the house at 12 : 35. We found Miss Greenshaw dead and the two ladies locked in their rooms."

"So, you see, my dear," said Miss Marple to Louise. "The police constable *you* saw wasn't a real police constable at all. You never thought of him again – one doesn't – one just accepts one more uniform as part of the Law."

"But who – why?"

"As to who – well, if they are playing *A Kiss for Cinderella*, a policeman is the principal character. Nat Fletcher would only have to help himself to the costume he wears on the stage. He'd ask his way at a garage, being careful to call attention to the time – 12 : 25; then he would drive on quickly, leave his car round a corner, slip on his police uniform, and do his 'act.'"

"But why – why?"

"*Someone* had to lock the housekeeper's door on the outside, and someone had to drive the arrow through Miss Greenshaw's throat. You can stab anyone with an arrow just as well as by shooting it – but it needs force."

"You mean they were both in it?"

"Oh, yes, I think so. Mother and son as likely as not."

rasch die Treppe hinauf, stülpte ihre Marquisen-Perücke über, und sie war in der Lage, wenig später den Kopf aus dem Fenster zu strecken und dir zu sagen, daß auch sie eingeschlossen war.»

«Aber sie war eingeschlossen», sagte Louise.

«Ich weiß. Hier tritt der Schutzmann auf.»

«Welcher Schutzmann?»

«Genau – welcher Schutzmann? Ob es Ihnen wohl nichts ausmacht, Inspektor, mir zu sagen, wie und wann Sie den Schauplatz betreten haben?»

Der Inspektor schaute etwas verdutzt.

«Um 12 Uhr 29 erhielten wir einen Telefonanruf von Mrs. Cresswell, Wirtschafterin bei Miss Greenshaw, mit der Erklärung, daß ihre Herrin erschossen worden sei. Sergeant Cayley und ich fuhren sofort in einem Auto hin und trafen beim Haus um 12 Uhr 35 ein. Wir fanden Miss Greenshaw tot vor und die beiden Damen in ihren Zimmern eingeschlossen.»

«Du siehst also, meine Liebe», sagte Miss Marple zu Louise, «der Schutzmann, den du gesehen hast, war überhaupt kein echter Schutzmann. Du hast an ihn nie wieder gedacht – keiner tut das – man nimmt jede Uniform einfach als einen Teil des Gesetzes.»

«Doch wer – warum?»

«Wer, nun – was das anbelangt – wenn ‹A Kiss for Cinderella› aufgeführt wird, hat ein Schutzmann die Hauptrolle. Nat Fletcher brauchte sich nur des Kostüms zu bedienen, das er auf der Bühne trägt. Er brauchte nur bei einer Tankstelle nach dem Weg zu fragen, sorgsam die Aufmerksamkeit auf den Zeitpunkt lenken – 12 Uhr 25; dann konnte er rasch weiterfahren, sein Auto hinter einer Biegung lassen, in seine Polizeiuniform schlüpfen und seinen ‹Auftritt› haben.»

«Aber warum – warum?»

«Jemand mußte die Tür der Wirtschafterin von außen abschließen, und jemand mußte den Pfeil durch die Kehle der Miss Greenshaw jagen. Man kann jemanden mit einem Pfeil ebensogut erdolchen wie erschießen – doch es braucht Kraft.»

«Du meinst, sie haben gemeinsame Sache gemacht?»

«Oh ja, das glaube ich. Mutter und Sohn sehr wahrscheinlich.»

"But Miss Greenshaw's sister died long ago."

"Yes, but I've no doubt Mr. Fletcher married again—he sounds like the sort of man who would. I think it possible that the child died too, and that this so-called nephew was the second wife's child, and not really a relation at all. The woman got the post as housekeeper and spied out the land.

Then he wrote to Miss Greenshaw as her nephew and proposed to call on her – he may have even made some joking reference to coming in his policeman's uniform – remember, she said she was expecting a policeman. But I think Miss Greenshaw suspected the truth and refused to see him. He would have been her heir if she had died without making a will – but of course once she had made a will in the housekeeper's favor, as they thought, then it was clear sailing."

"But why use an arrow?" objected Joan. "So very far-fetched."

"Not far-fetched at all, dear. Alfred belonged to an Archery Club – Alfred was meant to take the blame. The fact that he was in the pub as early as 12 : 20 was most unfortunate from their point of view. He always left a little before his proper time and that would have been just right." She shook her head. "It really seems all wrong – morally, I mean, that Alfred's laziness should have saved his life."

The Inspector cleared his throat.

"Well, madam, these suggestions of yours are very interesting. I shall, of course, have to investigate—"

Miss Marple and Raymond West stood by the rockery and looked down at a gardening basket full of dying vegetation.

Miss Marple murmured:

"Alyssum, saxifrage, cystis, thimble, campanula... Yes, that's all the proof I need. Whoever was weeding here yesterday morning was no gardener – she pulled up plants as well as weeds. So now I know I'm right.

«Doch Miss Greenshaws Schwester starb vor langer Zeit.»

«Ja, doch zweifle ich nicht, daß Mr. Fletcher sich wiederverheiratete – er klingt nach der Sorte Mann, die das täte. Ich halte es für möglich, daß das Kind auch starb, und daß dieser sogenannte Neffe das Kind der zweiten Frau war und überhaupt kein echter Verwandter. Die Frau erhielt die Stellung als Wirtschafterin und kundschaftete das Feld aus. Dann schrieb er an Miss Greenshaw als ihr Neffe und machte den Vorschlag, sie zu besuchen – er mag sogar irgendeine scherzhafte Bemerkung gemacht haben, in der Uniform eines Schutzmannes zu erscheinen – entsinne dich, sie sagte, daß sie einen Schutzmann erwarte. Doch glaube ich, daß Miss Greenshaw die Wahrheit ahnte und sich weigerte, ihn zu sehen. Er würde ihr Erbe geworden sein, wenn sie gestorben wäre ohne ein Testament zu machen – doch dann natürlich, als sie erst einmal ein Testament zu Gunsten der Wirtschafterin gemacht hatte, wie sie glaubten, da war es für sie ein klarer Fall.»

«Doch warum einen Pfeil dazu hernehmen?» wandte Joan ein. «So etwas Ausgefallenes.»

«Überhaupt nicht ausgefallen, Liebe. Alfred gehörte einem Bogenschützenverein an – Alfred sollte die Schuld treffen. Die Tatsache, daß er sich schon um 12 Uhr 20 im Wirtshaus befand, war von ihrem Standpunkt aus höchst unselig. Er ging immer ein wenig vor seiner eigentlichen Zeit weg, und das wäre gerade passend gewesen.» Sie schüttelte den Kopf. «Eigentlich scheint es ganz verkehrt – moralisch, meine ich, daß Alfreds Faulheit ihm das Leben gerettet haben sollte.»

Der Inspektor räusperte sich.

«Nun, Madam, Ihre Vermutungen sind sehr aufschlußreich. Ich werde natürlich Untersuchungen anstellen...»

Miss Marple und Raymond West standen beim Steingarten und blickten in einen mit welkenden Pflanzen gefüllten Gartenkorb.

Miss Marple murmelte: «Alyssum, Steinbrech, Geißklee, Fingerhut, Glockenblume... Ja, das ist der Beweis, den ich brauche. Wer auch immer hier gestern früh Unkraut gezupft hat, war kein Gärtner – sie hat die Pflanzen wie auch das Unkraut herausgezogen. Jetzt bin ich mir sicher, daß ich recht habe. Dan-

Thank you, dear Raymond, for bringing me here. I wanted to see the place for myself."

She and Raymond both looked up at the outrageous pile of Greenshaw's Folly.

A cough made them turn. A handsome young man was also looking at the monstrous house.

"Plaguey big place," he said. "Too big for nowadays – or so they say. I dunno about that. If I won a football pool and made a lot of money, that's the kind of house I'd like to build."

He smiled bashfully at them, then rumpled his hair.

"Reckon I can say so now – that there house was built by my great-grandfather," said Alfred Pollock. "And a fine house it is, for all they call it Greenshaw's Folly!"

ke, lieber Raymond, daß du mich hierher gebracht hast. Ich wollte den Schauplatz selber mal sehen.»

Sie und Raymond schauten beide auf das greuliche Gebäude von Greenshaws Wahn.

Ein Räuspern ließ sie sich umwenden. Ein hübscher junger Mann blickte auch auf das mißgestaltete Haus.

«Verteufelt großes Ding», sagte er. «Viel zu groß heutzutage – sagen die Leute. Is mir egal. Hätt ich im Fußballtoto gewonnen und ne Masse Geld gekriegt, dann wär's so'n Haus, was ich gern bauen tät.»

Schüchtern lächelte er sie an, und wühlte sich dann in den Haaren.

«Ich hab das Gefühl, jetzt kann ich sagen – daß das Haus von meinem Urgroßvater gebaut ist», sagte Alfred Pollock. «Und es is'n feines Haus, selbst wenn sie's alle Greenshaws Wahn nennen.»

"Good-bye, darling."

"Good-bye, sweetheart."

Alix Martin stood leaning over the small rustic gate, watching the retreating figure of her husband as he walked down the road in the direction of the village.

Presently he turned a bend and was lost to sight, but Alix still stayed in the same position, absentmindedly smoothing a lock of the rich brown hair which had blown across her face, her eyes far away and dreamy.

Alix Martin was not beautiful, nor even, strictly speaking, pretty. But her face, the face of a woman no longer in her first youth, was irradiated and softened until her former colleagues of the old office days would hardly have recognised her. Miss Alix King had been a trim business-like young woman, efficient, slightly brusque in manner, obviously capable and matter-of-fact.

Alix had graduated in a hard school. For fifteen years, from the age of eighteen until she was thirty-three, she had kept herself (and for seven years of the time an invalid mother) by her work as a shorthand typist. It was the struggle for existence which had hardened the soft lines of her girlish face.

True, there had been romance – of a kind – Dick Windyford, a fellow-clerk. Very much of a woman at heart, Alix had always known without seeming to know that he cared. Outwardly they had been friends, nothing more. Out of his slender salary Dick had been hard put to it to provide for the schooling of a younger brother. For the moment he could not think of marriage.

And then suddenly deliverance from daily toil had come to the girl in the most unexpected manner. A distant cousin had died, leaving her money to Alix – a few thousand pounds, enough to bring in a couple of hundred a year. To Alix it was freedom, life, independence. Now she and Dick need wait no longer.

«Auf Wiedersehen, Liebster.»

«Auf Wiedersehen, Schatz.»

Alix Martin stand über das kleine einfache Gatter gelehnt und sah der scheidenden Gestalt ihres Mannes nach, als er die Straße hinunter in Richtung zum Dorf ging.

Bald darauf entschwand er in einer Kurve ihrem Blick, doch Alix verharrte noch in gleicher Haltung und glättete geistesabwesend eine Locke ihres vollen braunen Haares, die ihr über das Gesicht geweht war, ihre Augen träumerisch in die Ferne gerichtet.

Alix Martin war nicht schön, offengestanden, nicht einmal hübsch. Doch ihr Gesicht, nicht mehr das Gesicht einer Frau in der ersten Jugendblüte, war strahlend und weich, so daß ihre ehemaligen Kollegen aus der alten Bürozeit sie kaum wiedererkannt hätten. Miss Alix King war eine äußerst sachliche junge Frau gewesen, tüchtig, leicht abweisend in ihrem Verhalten, zweifelsohne befähigt und nüchtern denkend.

Alix war durch eine harte Schule gegangen. Fünfzehn Jahre lang, vom achtzehnten Lebensjahr an bis zu ihrem dreiunddreißigsten hatte sie sich (und davon sieben Jahre eine gelähmte Mutter) mit ihrer Arbeit als Stenotypistin unterhalten. Der Daseinskampf war es gewesen, der die weichen Züge ihres mädchenhaften Gesichtes hart gemacht hatte.

Gewiß, es hatte so eine Art Liebesgeschichte gegeben – Dick Windyford, ein Bürokollege. Im Innersten sehr fraulich, hatte Alix immer gefühlt, ohne es sich bewußt zu machen, daß er sie gern hatte. Nach außen waren sie Freunde gewesen, mehr nicht. Mit seinem schmalen Gehalt war es Dick allein schon schwer gefallen, für die Schulausbildung eines jüngeren Bruders zu sorgen. Im Augenblick konnte er nicht ans Heiraten denken.

Und dann war plötzlich in ganz unerwarteter Weise die Erlösung aus der täglichen Plackerei für das Mädchen gekommen. Eine entfernte Cousine war gestorben und hatte ihr Geld Alix vermacht, einige tausend Pfund, genug, um etliche hundert im Jahr einzubringen. Für Alix bedeutete das Freiheit, Leben, Unabhängigkeit. Jetzt brauchten sie und Dick nicht länger zu warten.

But Dick reacted unexpectedly. He had never directly spoken of his love to Alix; now he seemed less inclined to do so than ever. He avoided her, became morose and gloomy. Alix was quick to realise the truth. She had become a woman of means. Delicacy and pride stood in the way of Dick's asking her to be his wife.

She liked him none the worse for it, and was indeed deliberating as to whether she herself might not take the first step, when for the second time the unexpected descended upon her.

She met Gerald Martin at a friend's house. He fell violently in love with her and within a week they were engaged. Alix, who had always considered herself "not the falling-in-love kind," was swept clean off her feet.

Unwittingly she had found the way to arouse her former lover. Dick Windyford had come to her stammering with rage and anger.

"The man's a perfect stranger to you! You know nothing about him!"

"I know that I love him."

"How can you know – in a week?"

"It doesn't take everyone eleven years to find out that they're in love with a girl," cried Alix angrily.

His face went white.

"I've cared for you ever since I met you. I thought that you cared also."

Alix was truthful.

"I thought so too," she admitted. "But that was because I didn't know what love was."

Then Dick had burst out again. Prayers, entreaties, even threats – threats against the man who had supplanted him. It was amazing to Alix to see the volcano that existed beneath the reserved exterior of the man she had thought she knew so well.

Her thoughts went back to that interview now, on this sunny morning, as she leant on the gate of the cottage. She had been married a month, and she was idyllically happy. Yet, in the momentary absence of

Doch Dick wirkte dem unvermutet entgegen. Er hatte Alix nie eindeutig seine Liebe erklärt; jetzt schien er dazu weniger geneigt als je zuvor. Er mied sie, wurde mürrisch und trübsinnig. Alix erkannte sehr bald die Wahrheit. Sie war eine vermögende Frau geworden. Feingefühl und Stolz hinderten Dick, um ihre Hand anzuhalten.

Sie liebte ihn darum eher noch mehr und trug sich tatsächlich mit dem Gedanken, ob sie nicht vielleicht selber den ersten Schritt tun könne, als zum zweiten Mal das Unerwartete über sie kam.

Sie traf Gerald Martin im Haus eines Freundes. Er verliebte sich heftig in sie

und innerhalb einer Woche waren sie verlobt. Alix, die sich nie als eine von den «Schnellentflammbaren» eingeschätzt hatte, war überwältigt.

Ungewollt hatte sie den Weg gefunden, ihren ehemaligen Verehrer wachzurütteln. Dick Windyford war zu ihr gekommen, stotternd vor Heftigkeit und Ärger.

«Der Mann ist für dich ein völlig Fremder! Du weißt nichts über ihn!»

«Ich weiß, daß ich ihn liebe.»

«Wie willst du das wissen – nach einer Woche?»

«Nicht alle brauchen elf Jahre um sich klar zu werden, daß sie ein Mädchen lieben», warf ihm Alix ärgerlich entgegen.

Er erbleichte.

«Ich habe dich gern gehabt von dem Augenblick an, da ich dich traf. Ich dachte, du mochtest mich auch.»

Alix war aufrichtig.

«Ich glaubte es auch», gab sie zu. «Aber nur, weil ich nicht wußte, was Liebe ist.»

Dann war es wieder aus Dick herausgebrochen. Bitten, Flehen, sogar Drohungen gegen den Mann, der ihn verdrängt hatte. Es war für Alix überraschend, den Vulkan zu erkennen, der unter dem zurückhaltenden Äußeren des Mannes vorhanden war, den sie so gut zu kennen glaubte.

An diesem sonnigen Morgen, als sie am Gatter des Landhauses lehnte, wanderten nun ihre Gedanken zu jenem Gespräch zurück. Einen Monat war sie nun verheiratet, und sie war wohlig glücklich. Dennoch, ein Hauch von Angst durchdrang wäh-

the husband who was everything to her, a tinge of anxiety invaded her perfect happiness. And the cause of that anxiety was Dick Windyford.

Three times since her marriage she had dreamed the same dream. The environment differed, but the main facts were always the same. *She saw her husband lying dead and Dick Windyford standing over him, and she knew clearly and distinctly that his was the hand which had dealt the fatal blow.*

But horrible though that was, there was something more horrible still – horrible, that was, on awakening, for in the dream it seemed perfectly natural and inevitable. *She, Alix Martin, was glad that her husband was dead;* she stretched out grateful hands to the murderer, sometimes she thanked him. The dream always ended the same way, with herself clasped in Dick Windyford's arms.

She had said nothing of this dream to her husband, but secretly it had perturbed her more than she liked to admit. Was it a warning – a warning against Dick Windyford?

Alix was roused from her thoughts by the sharp ringing of the telephone bell from within the house. She entered the cottage and picked up the receiver. Suddenly she swayed, and put out a hand against the wall.

"Who did you say was speaking?"

"Why, Alix, what's the matter with your voice? I wouldn't have known it. It's Dick."

"Oh!" said Alix. "Oh! Where – where are you?"

"At the Traveller's Arms – that's the right name, isn't it? Or don't you even know of the existence of your village pub? I'm on my holiday – doing a bit of fishing here. Any objection to my looking you two good people up this evening after dinner?"

"No," said Alix sharply. "You mustn't come."

There was a pause, and then Dick's voice, with a subtle alteration in it, spoke again.

rend des kurzen Fernseins ihres Mannes, der ihr alles bedeutete, ihr vollkommenes Glück. Und der Anlaß dieser Angst war Dick Windyford.

Dreimal seit ihrer Heirat hatte sie den gleichen Traum gehabt. Die Umgebung wechselte, doch die wesentlichen Vorgänge waren immer die nämlichen. Sie sah ihren Mann tot daliegen, und Dick Windyford stand über ihn gebeugt, und sie wußte klar und eindeutig, daß es seine Hand war, die den tödlichen Schlag geführt hatte.

Wenn allein das schon schrecklich war, gab es noch etwas Schrecklicheres — schrecklich war es beim Erwachen, denn im Traum schien alles natürlich und unvermeidbar. Sie, Alix Martin, war froh, daß ihr Mann tot war; sie streckte dem Mörder zum Willkomm die Hände entgegen, manchmal dankte sie ihm. Der Traum endete immer auf gleiche Weise, sie in den Armen Dick Windyford's.

Sie hatte von diesem Traum ihrem Manne nichts gesagt, doch insgeheim war sie davon mehr beunruhigt, als sie sich eingestehen mochte. War es eine Warnung — eine Warnung vor Dick Windyford?

Alix wurde aus ihren Gedanken gerissen durch das scharfe Läuten der Telefonklingel, das aus dem Hause drang. Sie ging hinein und nahm den Hörer ab. Plötzlich schwankte sie und streckte eine Hand gegen die Wand aus.

«Wer, sagten Sie, spricht da?»

«Aber Alix, was ist mit deiner Stimme los? Ich hätte sie nicht wiedererkannt. Ich bin's, Dick.»

«Oh!» sagte Alix. «Oh! Wo — wo bist du?»

«Im ‹Traveller's Arms› — so heißt es doch, nicht wahr? Oder weißt du nichts vom Vorhandensein eurer Dorfgaststätte? Ich mache Ferien — ein bißchen Fischen in der Gegend. Irgendwelche Einwände, wenn ich euch zwei gute Leutchen heute Abend nach dem Essen aufsuche?»

«Nein», sagte Alix barsch. «Du darfst nicht kommen.»

Es herrschte Schweigen, und dann kam Dick's Stimme wieder, leicht verändert.

"I beg your pardon," he said formally. "Of course I won't bother you –"

Alix broke in hastily. He must think her behaviour too extraordinary. It *was* extraordinary. Her nerves must be all to pieces.

"I only meant that we were – engaged to-night," she explained, trying to make her voice sound as natural as possible. "Won't you – won't you come to dinner to-morrow night?"

But Dick evidently noticed the lack of cordiality in her tone.

"Tanks very much," he said, in the same formal voice, "but I may be moving on any time. Depends if a pal of mine turns up or not. Good-bye, Alix." He paused, and then added hastily, in a different tone: "Best of luck to you, my dear."

Alix hung up the receiver with a feeling of relief.

"He mustn't come here," she repeated to herself. "He mustn't come here. Oh, what a fool I am! To imagine myself into a state like this. All the same, I'm glad he's not coming."

She caught up a rustic rush hat from a table, and passed out into the garden again, pausing to look up at the name carved over the porch: Philomel Cottage.

"Isn't it a very fanciful name?" she had said to Gerald once before they were married. He had laughed.

"You little Cockney," he had said, affectionately. "I don't believe you have ever heard a nightingale. I'm glad you haven't. Nightingales should sing only for lovers. We'll hear them together on a summer's evening outside our own home."

And at the remembrance of how they had indeed heard them, Alix, standing in the doorway of her home, blushed happily.

It was Gerald who had found Philomel Cottage. He had come to Alix bursting with excitement. He had found the very spot for them – unique – a gem – the chance of a lifetime. And when Alix had seen it she too was captivated. It was true that the situation was

«Entschuldige bitte», sagte er steif. «Natürlich möchte ich euch nicht stören –»

Alix unterbrach ihn hastig. Er mußte ihr Verhalten unverständlich finden. Es war unverständlich. Ihre Nerven mußten völlig durcheinander sein.

«Ich wollte damit nur sagen, daß wir heute Abend – eine Verpflichtung haben», erklärte sie, wobei sie sich Mühe gab, ihre Stimme so natürlich wie möglich klingen zu lassen. «Willst du nicht – willst du nicht morgen Abend zum Essen kommen?»

Doch Dick bemerkte offenbar den Mangel an Herzlichkeit in ihrem Ton.

«Vielen Dank», sagte er mit derselben steifen Stimme, «denn es kann sein, daß es mich auf einmal weiterzieht. Kommt darauf an, ob mich ein Kumpel heimsucht oder nicht. Auf Wiedersehen, Alix.» Er hielt inne und fügte dann hastig mit veränderter Stimme hinzu: «Dir viel Glück, mein Liebes.»

Alix legte den Hörer mit einem Gefühl der Erleichterung auf.

«Er darf nicht hierher kommen», wiederholte sie zu sich selbst. «Er darf nicht hierher kommen. Ach, was bin ich doch für ein dummes Ding! Mich in einen solchen Zustand hineinzusteigern. Trotzdem, ich bin froh, daß er nicht kommt.»

Sie nahm einen ländlichen Strohhut vom Tisch und ging wieder hinaus in den Garten und blieb stehen, um sich den Namen, der über dem Eingang eingeschnitzt war, anzuschauen: Landhaus Philomele.

«Ist es nicht ein sehr ausgefallener Name?» hatte sie einmal zu Gerald gesagt, bevor sie verheiratet waren. Er hatte gelacht.

«Du kleines Stadtkind», hatte er liebevoll gesagt. «Ich glaube nicht, daß du je eine Nachtigall gehört hast. Ich bin froh, daß es nicht so ist. Nachtigallen sollten nur für Liebende singen. Wir werden sie gemeinsam hören an einem Sommerabend draußen vor unserem eigenen Haus.»

Und bei der Erinnerung, wie sie sie tatsächlich gehört hatten, errötete Alix glücklich im Türeingang ihres Heimes.

Gerald war es gewesen, der Landhaus Philomele gefunden hatte. Er war vor Aufregung platzend zu Alix gekommen. Er hätte den Ort für sie gefunden – einzig – ein Juwel – die Gelegenheit des Lebens. Und als Alix es gesehen hatte, war sie auch bezaubert. Schon wahr, daß es recht einsam lag – sie waren

rather lonely – they were two miles from the nearest village – but the cottage itself was so exquisite with its old-world appearance, and its solid comfort of bathrooms, hot-water system, electric light, and telephone, that she fell a victim to its charm immediately. And then a hitch occurred. The owner, a rich man who had made it his whim, declined to let it. He would only sell.

Gerald Martin, though possessed of a good income, was unable to touch his capital. He could raise at most a thousand pounds. The owner was asking three. But Alix, who had set her heart on the place, came to the rescue. Her own capital was easily realised, being in bearer bonds. She would contribute half of it to the purchase of the home. So Philomel Cottage became their very own, and never for a minute had Alix regretted the choice. It was true that servants did not appreciate the rural solitude – indeed, at the moment they had none at all – but Alix, who had been starved of domestic life, thoroughly enjoyed cooking dainty little meals and looking after the house.

The garden, which was magnificently stocked with flowers, was attended to by an old man from the village who came twice a week.

As she rounded the corner of the house, Alix was surprised to see the old gardener in question busy over the flowerbeds. She was surprised because his days for work were Mondays and Fridays, and to-day was Wednesday.

"Why, George, what are you doing here?" she asked, as she came towards him.

The old man straightened up with a chuckle, touching the brim of an aged cap.

"I thought as how you'd be surprised, m'am. But 'tis this way. There be a fête over to Squire's on Friday, and I sez to myself, I sez, neither Mr. Martin nor yet his good lady won't take it amiss if I comes for once on a Wednesday instead of a Friday."

"That's quite all right," said Alix. "I hope you'll enjoy yourself at the fête."

zwei Meilen vom nächsten Dorf entfernt – doch das Landhaus selbst war so vollkommen mit seinem altväterlichen Aussehen und seinem gediegenen Komfort an Badezimmern, Heißwasserleitung, elektrischem Licht und Telefon, daß sie sogleich ein Opfer seines Charmes wurde. Doch dann hatte die Sache plötzlich einen Haken. Der Besitzer, ein reicher Mann, der es zu seiner Marotte gemacht hatte, lehnte ab, es zu vermieten. Er würde nur verkaufen.

Gerald Martin, obwohl im Besitz eines guten Einkommens, war es nicht möglich, sein Kapital anzutasten. Er könnte höchstens eintausend Pfund aufbringen. Der Besitzer verlangte dreitausend. Doch Alix, die ihr Herz an das Anwesen gehängt hatte, kam zu Hilfe. Ihr eigenes Kapital war leicht flüssig zu machen, da es in Obligationen angelegt war. Sie würde die Hälfte zum Erwerb des Hauses beisteuern. So wurde Landhaus Philomele ihr eigen, und niemals auch nur für eine Minute hatte die Wahl Alix gereut. Es stimmte schon, daß Haushaltshilfen die ländliche Einsamkeit nicht schätzten – im Augenblick hatten sie überhaupt niemanden – doch Alix, die Häuslichkeit entbehrt hatte, genoß es gründlich, köstliche kleine Mahlzeiten zu kochen und sich um die Räume zu kümmern.

Der Garten, prächtig mit Blumen ausgestattet, wurde von einem alten Mann aus dem Dorf versorgt, der zweimal die Woche kam.

Als sie um die Ecke des Hauses bog, war Alix erstaunt, den eben erwähnten alten Gärtner eifrig über den Blumenbeeten zu sehen. Sie war erstaunt, weil seine Arbeitstage Montag und Freitag waren, und heute war Mittwoch.

«Aber George, was machen Sie hier?» fragte sie, als sie auf ihn zukam.

Der alte Mann richtete sich mit einem Gluckser auf und tippte an den Rand seiner alten Mütze.

«Dacht ich mir's doch, daß Sie staunen werden, M'am. Aber es is so. Beim Gutsherrn gib's am Freitag ein Gartenfest, und ich sag mir halt, sag ich mir, weder Mr. Martin noch die Frau Gemahlin werden's mir verübeln, wenn ich mal an 'nem Mittwoch komme, statt an 'nem Freitag.»

«Ist schon in Ordnung», sagte Alix. «Ich hoffe, Sie werden auf dem Gartenfest Ihren Spaß haben.»

"I reckon to," said George simply. "It's a fine thing to be able to eat your fill and know all the time as it's not you as is paying for it. Squire allus has a proper sit-down tea for 'is tenants.

Then I thought too, m'am, as I might as well see you before you goes away so as to learn your wishes for the borders. You have no idea when you'll be back, m'am, I suppose?"

"But I'm not going away."

George stared.

"Bain't you going to Lunnon to-morrow?"

"No. What put such an idea into your head?"

George jerked his head over his shoulder.

"Met maister down to village yesterday. He told me you was both going away to Lunnon to-morrow, and it was uncertain when you'd be back again."

"Nonsense," said Alix, laughing. "You must have misunderstood him."

All the same, she wondered exactly what it could have been that Gerald had said to lead the old man into such a curious mistake. Going to London? She never wanted to go to London again.

"I hate London," she said suddenly and harshly.

"Ah!" said George placidly. "I must have been mistook somehow, and yet he said it plain enough, it seemed to me. I'm glad you're stopping on here. I don't hold with all this gallivanting about, and I don't think nothing of Lunnon. *I've* never needed to go there. Too many moty cars – that's the trouble nowadays. Once people have got a moty car, blessed if they can stay still anywheres. Mr. Ames, wot used to have this house – nice peaceful sort of gentleman he was until he bought one of them things. Hadn't had it a month before he put up this cottage for sale. A tidy lot he'd spent on it too, with taps in all the bedrooms, and the electric light and all. 'You'll never see your money back,' I sez to him. 'But,' he sez to me, 'I'll get every penny of two thousand pounds for this house.' And, sure enough, he did."

«Schätze wohl», sagte George einfach. «Das ist 'ne feine Sache, sich vollessen können und alleweil wissen, daß man's nicht selber zahlen muß. Der Gutsherr gibt seinen Pächtern immer 'nen richtigen Tee, wo man sitzen kann. Dann dachte ich mir auch, M'am, daß ich Sie nebenbei noch sehen kann, bevor Sie wegfahren, um Ihre Wünsche für die Beeteinfassungen zu hören. Sie haben keine Vorstellung, wann Sie wieder zurück sein werden, M'am, nehm' ich an?»

«Aber ich fahre nicht weg.»

George sah sie groß an.

«Fahren's denn nicht nach Lunnon morgen?»

«Nein. Wie kommen Sie denn auf diesen Gedanken?»

George warf den Kopf zurück.

«Traf den Herrn gestern im Dorf. Sagte mir, daß Sie beide morgen nach Lunnon fahren, und es nicht sicher ist, wann Sie wieder zurück sind.»

«Unsinn», sagte Alix lachend. «Sie müssen ihn falsch verstanden haben.»

Trotzdem fragte sie sich, was Gerald wirklich gesagt haben könnte, daß der alte Mann auf einen so merkwürdigen Irrtum verfallen war. Nach London fahren? Niemals wieder wollte sie nach London.

«Ich hasse London», sagte sie unvermittelt und schroff.

«Ach!» sagte George gelassen. «Hab' es halt irgendwie falsch verstanden, immerhin hat er's deutlich genug gesagt, meine ich jedenfalls. Ich bin froh, daß Sie hier weitermachen. Ich halte nix von all der Herumtreiberei, und von Lunnon halt' ich schon gar nix. Hat mich nie dorthin gezogen. Zu viele Automobile – das ist das Kreuz heutzutage. Wenn die Leut mal ein Auto haben, können sie verdammt nirgends mehr wo bleiben. Mr. Ames, der's Haus früher hatte – nette friedliche Sorte von 'nem Herrn war er, bis er eins von diesen Dingern kaufte. Hat dies Landhaus nicht einen Monat gehabt, bevor er es zum Verkauf anbot. Ne ordentliche Menge hat er da reingesteckt, mit Wasseranschlüssen in allen Schlafzimmern und elektrisches Licht und so. ‹Nie werden Sie Ihr Geld wieder rauskriegen›, sag ich ihm. ‹Doch›, sagt er zu mir, ‹ich bekomme jeden Penny von den zweitausend Pfund für dieses Haus.› Und tatsächlich, er bekam's.»

"He got three thousand," said Alix, smiling.

"Two thousand," repeated George. "The sum he was asking was talked of at the time."

"It really was three thousand," said Alix.

"Ladies never understand figures," said George, unconvinced. "You'll not tell me that Mr. Ames had the face to stand up to you and say three thousand brazen-like in a loud voice?"

"He didn't say it to me," said Alix; "he said it to my husband."

George stooped again to his flower-bed.

"The price was two thousand," he said obstinately.

Alix did not trouble to argue with him. Moving to one of the farther beds, she began to pick an armful of flowers.

As she moved with her fragrant posy towards the house, Alix noticed a small dark-green object peeping from between some leaves in one of the beds. She stooped and picked it up, recognising it for her husband's pocket diary.

She opened it, scanning the entries with some amusement. Almost from the beginning of their married life she had realised that the impulsive and emotional Gerald had the uncharacteristic virtues of neatness and method. He was extremely fussy about meals being punctual, and always planned his day ahead with the accuracy of a time-table.

Looking through the diary, she was amused to notice the entry on the date of May 14th: "Marry Alix St. Peter's 2.30."

"The big silly," murmured Alix to herself, turning the pages. Suddenly she stopped.

"'Wednesday, June 18th' – why, that's to-day."

In the space for that day was written in Gerald's neat, precise hand: "9 p.m." Nothing else. What had Gerald planned to do at 9 p.m.? Alix wondered. She smiled to herself as she realised that had this been a story, like those she had so often read, the diary would

«Er bekam dreitausend», sagte Alix lächelnd.

«Zweitausend», wiederholte George. «Über die Summe, die er wollte, wurde damals geredet.»

«Es waren wirklich dreitausend», sagte Alix.

«Damen verstehen nie was von Zahlen», sagte George nicht überzeugt. «Mir können S' das nicht weismachen, daß Mr. Ames die Stirn hatte und unverfroren zu Ihnen mit lauter Stimme dreitausend sagte.»

«Er hat es nicht mir gesagt», sagte Alix; «er sagte es zu meinem Mann.»

George beugte sich wieder über sein Blumenbeet.

«Der Preis war zweitausend», sagte er halsstarrig.

Alix hatte keine Lust, sich weiter mit ihm auseinanderzusetzen. Sie schlenderte zu einem der weiter entfernten Beete und begann einen Armvoll Blumen zu pflücken.

Als sie mit ihrem duftenden Strauß zum Hause schritt, bemerkte Alix einen kleinen dunkelgrünen Gegenstand, der zwischen den Blättern aus einem der Beete hervorlugte. Sie bückte sich und hob ihn auf und erkannte ihn als den Taschenkalender ihres Mannes.

Sie schlug ihn auf und überflog die Eintragungen mit einiger Belustigung. Fast vom Beginn ihres verheirateten Lebens an hatte sie bemerkt, daß der leicht erregbare und gefühlsbetonte Gerald die untypischen Tugenden der Ordnung und des Systems besaß. Er machte übertrieben viel Aufhebens um die Pünktlichkeit von Mahlzeiten, und teilte seinen Tag immer im Vorhinein ein mit der Genauigkeit eines Stundenplans.

Beim Durchsehen des Tagebuchs belustigte es sie, als sie die Eintragung beim Datum des 14. Mai bemerkte: «Heirate Alix St. Peter's 2 Uhr 30.»

«Der große Dummerjan», murmelte Alix zu sich und blätterte weiter. Plötzlich hielt sie inne.

«Mittwoch, 18. Juni› – aber, das ist doch heute.»

In der Spalte für diesen Tag stand in Geralds gestochener Schrift zu lesen: «9 Uhr abends.» Nichts sonst. Was hatte Gerald sich für neun Uhr abends vorgenommen? Alix wunderte sich. Sie lächelte in sich hinein, als sie sich vergegenwärtigte, daß das Tagebuch, wenn dies eine Geschichte wäre, wie solche,

doubtless have furnished her with some sensational revelation. It would have had in it for certain the name of another woman. She fluttered the back pages idly. There were dates, appointments, cryptic references to business deals, but only one woman's name – her own.

Yet as she slipped the book into her pocket and went on with her flowers to the house, she was aware of a vague uneasiness. Those words of Dick Windyford's recurred to her almost as though he had been at her elbow repeating them: "The man's a perfect stranger to you. You know nothing about him."

It was true. What did she know about him? After all, Gerald was forty. In forty years there must have been women in his life...

Alix shook herself impatiently. She must not give way to these thoughts. She had a far more instant preoccupation to deal with. Should she, or should she not, tell her husband that Dick Windyford had rung her up?

There was the possibility to be considered that Gerald might have already run across him in the village. But in that case he would be sure to mention it to her immediately upon his return, and matters would be taken out of her hands. Otherwise – what? Alix was aware of a distinct desire to say nothing about it.

If she told him, he was sure to suggest asking Dick Windyford to Philomel Cottage. Then she would have to explain that Dick had proposed himself, and that she had made an excuse to prevent his coming. And when he asked her why she had done so, what could she say? Tell him her dream? But he would only laugh – or worse, see that she attached an importance to it which he did not.

In the end, rather shamefacedly, Alix decided to say nothing. It was the first secret she had ever kept from her husband, and the consciousness of it made her feel ill at ease.

When she heard Gerald returning from the village shortly before lunch, she hurried into the kitchen and

die sie häufig gelesen hatte, ihr zweifellos einige eindrucksvolle Enthüllungen geliefert hätte. Es enthielte sicherlich den Namen einer anderen Frau. Müßig überflog sie die letzten Seiten. Es waren Termine, Verabredungen, verschlüsselte Hinweise auf Geschäftsvorgänge, doch nur ein Frauenname – der ihre.

Als sie jedoch das Buch in ihre Tasche gleiten ließ und mit ihren Blumen weiter zum Haus schlenderte, wurde sie sich eines nicht faßbaren Unbehagens bewußt. Jene Worte Dick Windyford's fielen ihr wieder ein, so als stünde er leibhaftig neben ihr und wiederholte sie: «Der Mann ist für dich ein völlig Fremder! Du weißt nichts über ihn.»

Es war wahr. Was wußte sie über ihn? Immerhin war Gerald vierzig. Während vierzig Jahren muß es Frauen in seinem Leben gegeben haben...

Alix raffte sich ungeduldig auf. Diesen Gedanken durfte sie keinen Raum geben. Sie mußte mit einer viel dringenderen Besorgnis fertig werden. Sollte sie ihrem Mann sagen, daß Dick Windyford sie angerufen hatte, oder sollte sie es nicht?

Die Möglichkeit war gegeben, daß Gerald ihm schon im Dorf über den Weg gelaufen war. Doch in diesem Fall würde er es sicherlich sofort nach seiner Rückkehr erwähnen, und alles weitere wäre ihr dann aus der Hand genommen. Aber wenn nicht – was dann? Alix spürte den festen Wunsch, nichts davon zu sagen.

Wenn sie es ihm erzählte, würde er sicherlich vorschlagen, Dick Windyford ins Landhaus Philomele zu bitten. Dann würde sie erklären müssen, daß Dick sich schon angekündigt und sie eine Ausrede gefunden hätte sein Kommen zu verhindern. Und wenn er sie fragen würde, warum sie so gehandelt habe, was sollte sie sagen? Ihm ihren Traum erzählen? Er würde nur lachen – oder, viel schlimmer, sehen, daß sie dem überhaupt eine Bedeutung beimaß, im Gegensatz zu ihm.

Am Ende entschloß sich Alix, nichts zu sagen. Sie schämte sich. Es war die erste Heimlichkeit, die sie je vor ihrem Mann gehabt hatte, und das Bewußtsein davon verursachte ihr Unbehagen.

Als sie Gerald kurz vor dem Mittagessen aus dem Dorf zurückkommen hörte, eilte sie in die Küche, und gab vor, emsig

pretended to be busy with the cooking so as to hide her confusion.

It was evident at once that Gerald had seen nothing of Dick Windyford. Alix felt at once relieved and embarrassed. She was definitely committed now to a policy of concealment.

It was not until after their simple evening meal, when they were sitting in the oak-beamed living-room with the windows thrown open to let in the sweet night air scented with the perfume of the mauve and white stocks outside, that Alix remembered the pocket diary.

"Here's something you've been watering the flowers with," she said, and threw it into his lap.

"Dropped it in the border, did I?"

"Yes; I know all your secrets now."

"Not guilty," said Gerald, shaking his head.

"What about your assignation at nine o'clock to-night?"

"Oh! that –" He seemed taken aback for a moment, then he smiled as though something afforded him particular amusement. "It's an assignation with a particularly nice girl, Alix. She's got brown hair and blue eyes, and she's very like you."

"I don't understand," said Alix, with mock severity. "You're evading the point."

"No, I'm not. As a matter of fact, that's a reminder that I'm going to develop some negatives to-night, and I want you to help me."

Gerald Martin was an enthusiastic photographer. He had a somewhat old-fashioned camera, but with an excellent lens, and he developed his own plates in a small cellar which he had had fitted up as a dark-room.

"And it must be done at nine o'clock precisely," said Alix teasingly.

Gerald looked a little vexed.

"My dear girl," he said, with a shade of testiness in his manner, "one should always plan a thing for a

beim Kochen zu sein, als wollte sie ihre Verwirrung verbergen.

Es war sofort zu erkennen, daß Gerald nichts von Dick Windyford gesehen hatte. Alix fühlte sich im gleichen Maße erleichtert wie verlegen. Sie war nun endgültig auf eine Taktik des Vertuschens festgelegt.

Erst als sie im eichengetäfelten Wohnraum saßen, nach ihrem einfachen Abendessen, bei weit geöffneten Fenstern, um die milde Nachtluft einzulassen,

die gewürzt war vom Duft der malvenfarbenen und weißen Levkojen draußen, erinnerte sich Alix an den Taschenkalender.

«Hier ist etwas, womit du die Blumen gegossen hast», sagte sie und warf ihn in seinen Schoß.

«Ist mir wohl in die Beeteinfassung gefallen, nicht wahr?»

«Ja; ich kenne jetzt alle deine Geheimnisse.»

«Nicht sträflich», sagte Gerald und schüttelte den Kopf.

«Und was ist mit deiner Verabredung um neun Uhr heute Abend?»

«Oh! das...» Er schien einen Augenblick aus der Fassung gebracht, dann lächelte er, als bereite ihm irgend etwas besonderes Vergnügen. «Es ist eine Verabredung mit einem besonders reizenden Mädchen, Alix. Sie hat braune Haare und blaue Augen, und sie ist dir sehr ähnlich.»

«Ich verstehe nicht», sagte Alix mit spaßhaftem Ernst. «Du weichst dem wesentlichen aus.»

«Nein, das tue ich nicht. Um die Wahrheit zu sagen, es ist eine Erinnerung, daß ich heute Abend einige Negative entwickeln will und möchte, daß du mir hilfst.»

Gerald Martin war ein begeisterter Fotograf. Er hatte eine etwas altmodische Kamera, doch mit einer ausgezeichneten Linse, und er entwickelte seine Platten selber in einem kleinen Keller, den er in eine Dunkelkammer hatte verwandeln lassen.

«Und das muß genau um neun Uhr geschehen», sagte Alix neckend.

Gerald sah etwas verärgert aus.

«Mein liebes Mädchen», sagte er mit einem Anflug von Gereiztheit in seinem Benehmen, «man sollte eine Sache immer

definite time. Then one gets through one's work properly."

Alix sat for a minute or two in silence, watching her husband as he lay in his chair smoking, his dark head flung back and the clear-cut lines of his clean-shaven face showing up against the sombre background. And suddenly, from some unknown source, a wave of panic surged over her, so that she cried out before she could stop herself, "Oh, Gerald, I wish I knew more about you!"

Her husband turned an astonished face upon her.

"But, my dear Alix, you do know all about me. I've told you of my boyhood in Northumberland, of my life in South Africa, and these last ten years in Canada which have brought me success."

"Oh! business!" said Alix scornfully.

Gerald laughed suddenly.

"I know what you mean – love affairs. You women are all the same. Nothing interests you but the personal element."

Alix felt her throat go dry, as she muttered indistinctly: "Well, but there must have been – love affairs. I mean – if I only knew –"

There was silence again for a minute or two. Gerald Martin was frowning, a look of indecision on his face. When he spoke it was gravely, without a trace of his former bantering manner.

"Do you think it wise, Alix – this – Bluebeard's chamber business? There have been women in my life; yes, I don't deny it. You wouldn't believe me if I denied it. But I can swear to you truthfully that not one of them meant anything to me."

There was a ring of sincerity in his voice which comforted the listening wife.

"Satisfied, Alix?" he asked, with a smile. Then he looked at her with a shade of curiosity.

"What has turned your mind on to these unpleasant subjects, to-night of all nights?"

Alix got up and began to walk about restlessly.

für eine bestimmte Zeit planen. Dann schafft man seine Arbeit auch anständig.»

Alix saß ein oder zwei Minuten schweigsam da und beobachtete ihren Mann, der in den Sessel gelehnt rauchte, den dunklen Kopf zurückgeworfen, so daß die scharfgeschnittenen Linien seines glatt rasierten Gesichtes sich vom dämmrigen Hintergrund abhoben. Und plötzlich, aus irgendeinem fremden Ursprung, durchwogte sie eine Welle qualvoller Angst, so daß sie, bevor sie sich beherrschen konnte, hervorstieß: «Oh Gerald, ich wünsche, ich wüßte mehr über dich!»

Ihr Mann wandte ihr ein erstauntes Gesicht zu.

«Aber, meine liebe Alix, du weißt wirklich alles über mich. Ich habe dir von meinen Knabenjahren in Northumberland erzählt, von meinem Leben in Südafrika, und von diesen letzten zehn Jahren in Kanada, die mir Erfolg gebracht haben.»

«Ach! Geschäfte!» sagte Alix verächtlich.

Gerald lachte plötzlich.

«Ich weiß, was du meinst – Liebesgeschichten. Ihr Frauen seid doch immer gleich. Nichts wollt ihr wissen, nur die persönlichen Umstände.»

Alix spürte ihre Kehle trocken werden, als sie undeutlich murmelte: «Nun, aber es muß doch – Liebesgeschichten – gegeben haben. Ich meine – wenn ich nur wüßte...»

Wieder gab es ein kurzes Schweigen. Gerald Martin runzelte die Stirn, mit einem Ausdruck von Unschlüssigkeit auf dem Gesicht. Als er sprach, war es ernst, ohne eine Spur seines vorherigen scherzenden Untertons.

«Hältst du das für klug, Alix – dieses – dieses Getue, wie um Blaubarts Gemach? Es hat Frauen in meinem Leben gegeben; ja, ich leugne es nicht. Du würdest mir nicht glauben, wenn ich es leugnete. Doch ich kann dir aufrichtig schwören, daß nicht eine davon mir irgend etwas bedeutete.»

Es war ein Klang von Offenheit in seiner Stimme, der die lauschende Ehefrau beruhigte.

«Zufrieden, Alix?» fragte er mit einem Lächeln. Dann blickte er sie ein wenig forschend an.

«Was hat deine Gedanken auf diese unerquicklichen Themen gebracht, gerade heute Nacht?»

Alix erhob sich und begann ruhelos auf und abzugehen.

"Oh, I don't know," she said. "I've been nervy all day."

"That's odd," said Gerald, in a low voice, as though speaking to himself. "That's very odd."

"Why is it odd?"

"Oh, my dear girl, don't flash out at me so. I only said it was odd because, as a rule, you're so sweet and serene."

Alix forced a smile.

"Everything's conspired to annoy me to-day," she confessed. "Even old George had got some ridiculous idea into his head that we were going away to London. He said you had told him so."

"Where did you see him?" asked Gerald sharply.

"He came to work to-day instead of Friday."

"Damned old fool," said Gerald angrily.

Alix stared in surprise.

Her husband's face was convulsed with rage. She had never seen him so angry. Seeing her astonishment Gerald made an effort to regain control of himself.

"Well, he is a damned old fool," he protested.

"What can you have said to make him think that?"

"I? I never said anything. At least – oh, yes, I remember; I made some weak joke about being 'off to London in the morning,' and I suppose he took it seriously. Or else he didn't hear properly. You undeceived him, of course?"

He waited anxiously for her reply.

"Of course, but he's the sort of old man who if once he gets an idea in his head – well, it isn't so easy to get it out again."

Then she told him of George's insistence on the sum asked for the cottage.

Gerald was silent for a minute or two, then he said slowly:

"Ames was willing to take two thousand in cash and the remaining thousand on mortgage. That's the origin of that mistake, I fancy."

«Ach, ich weiß nicht», sagte sie. «Ich bin den ganzen Tag so reizbar gewesen.»

«Das ist merkwürdig», sagte Gerald mit leiser Stimme, als spräche er zu sich selbst. «Das ist sehr merkwürdig.»

«Warum ist es merkwürdig?»

«Oh, mein liebes Mädchen, sei nicht so abrupt zu mir. Ich sagte nur, daß es merkwürdig wäre, weil du gewöhnlich so lieb und heiter bist.»

Alix zwang sich ein Lächeln ab.

«Alles hat sich heute verschworen, mich zu verstimmen», bekannte sie. «Selbst der alte George hatte irgendeine lächerliche Vorstellung im Kopf, daß wir nach London gingen. Er sagte, du hättest es ihm mitgeteilt.»

«Wo hast du ihn gesehen?» fragte Gerald scharf.

«Er kam heute zur Arbeit, anstatt Freitag.»

«Verdammter alter Narr», sagte Gerald zornig.

Alix sah ihn groß an, voll Staunen.

Das Gesicht ihres Mannes zuckte vor Wut. Sie hatte ihn noch nie so aufgebracht gesehen. Als Gerald ihre Verwunderung bemerkte, gab er sich Mühe, seine Beherrschung wiederzugewinnen.

«Nun, er ist ein verdammter alter Narr», begehrte er auf.

«Was kannst du gesagt haben, daß er auf diesen Gedanken kam?»

«Ich? Ich habe überhaupt nichts gesagt. Zumindest – oh doch, ich erinnere mich; ich machte irgendeinen schwachen Witz über ‹morgen geht's ab nach London›, und ich vermute, daß er es ernst nahm. Oder er hat auch nicht richtig gehört. Du hast ihn natürlich aufgeklärt?»

Er wartete unruhig auf ihre Antwort.

«Natürlich, aber er ist so eine Sorte alter Mann, der, wenn er sich was in den Kopf gesetzt hat – nun, es ist ihm dann nicht so leicht wieder auszutreiben.»

Dann berichtete sie ihm von George's Beharren auf der Summe, die für das Landhaus gefordert worden war.

Gerald schwieg wieder für kurze Zeit, dann sagte er langsam:

«Ames war bereit, zweitausend in bar zu nehmen und die übrigen tausend als Hypothek. Das ist der Grund für den Irrtum, schätze ich.»

"Very likely," agreed Alix.

Then she looked up at the clock, and pointed to it with a mischievous finger.

"We ought to be getting down to it, Gerald. Five minutes behind schedule."

A very peculiar smile came over Gerald Martin's face.

"I've changed my mind," he said quietly; "I shan't do any photography to-night."

A woman's mind is a curious thing. When she went to bed that Wednesday night Alix's mind was contented and at rest. Her momentarily assailed happiness reasserted itself triumphant as of yore.

But by the evening of the following day she realised that some subtle forces were at work undermining it. Dick Windyford had not rung ap again, nevertheless she felt what she supposed to be his influence at work. Again and again those words of his recurred to her: *"The man's a perfect stranger. You know nothing about him."* And with them came the memory of her husband's face, photographed clearly on her brain, as he said, "Do you think it wise, Alix, this – Bluebeard's chamber business?" Why had he said that?

There had been warning in them – a hint of menace. It was as though he had said in effect: "You had better not pry into my life, Alix. You may get a nasty shock if you do."

By Friday morning Alix had convinced herself that there *had* been a woman in Gerald's life – a Bluebard's chamber that he had sedulously sought to conceal from her. Her jealousy, slow to awaken, was now rampant.

Was it a woman he had been going to meet that night at 9 p.m.? Was his story of photographs do develop a lie invented upon the spur of the moment?

Three days ago she would have sworn that she knew her husband through and through. Now it seemed to her that he was a stranger of whom she knew nothing. She remembered his unreasonable

«Das mag sein», stimmte Alix ihm zu.

Dann schaute sie hoch auf die Uhr und deutete mit schelmischem Finger darauf.

«Wir sollten uns ans Werk machen. Nach Fahrplan fünf Minuten Verspätung.»

Ein sehr eigentümliches Lächeln zog über Gerald Martin's Gesicht.

«Ich habe mich anders besonnen», sagte er zwanglos, «ich werde heute Nacht keine Fotosachen machen.»

Das Gemüt einer Frau hat etwas Wunderliches. Als Alix an diesem Mittwoch zu Bett ging, war sie bis ins Innerste zufrieden und beruhigt. Ihr vorübergehend bedrohtes Glück behauptete sich wieder, jubelnd wie ehedem.

Doch am Abend des folgenden Tages wurde ihr bewußt, daß einige schwer faßbare Kräfte am Werk waren, dieses Glück zu untergraben. Dick Windyford hatte nicht wieder angerufen, trotzdem spürte sie etwas, das ihr wie ein ständiges Drängen von seiner Seite vorkam. Wieder und immer wieder kehrten seine Worte zu ihr zurück: «Der Mann ist ein völlig Fremder. Nichts weißt du über ihn.» Und zugleich erschien ihr die Erinnerung an das Gesicht ihres Mannes, deutlich ihrem Gedächtnis eingeprägt, als er sagte: «Hältst du es für klug, Alix – dieses – Getue wie um Blaubarts Gemach?» Warum hatte er das gesagt?

Es hatte eine Warnung darin gesteckt – die Andeutung einer Drohung. Es war, als ob er in Wirklichkeit gesagt hätte: «Besser du wühlst nicht in meinem Leben herum, Alix. Du könntest einen heillosen Schrecken bekommen, wenn du es tätest.»

Bis zum Freitag Morgen endlich war Alix zu der Überzeugung gekommen, daß es eine Frau in Geralds Leben gegeben hatte – ein «Blaubarts Gemach», das er eifrig vor ihr zu verbergen suchte. Ihre Eifersucht, nur schwer zu erwecken, war nun zügellos.

War es eine Frau, die er an jenem Abend um 9 Uhr hatte treffen wollen? War die Geschichte, Fotografien zu entwickeln, eine Lüge gewesen, hervorgebracht aus momentaner Eingebung?

Noch vor drei Tagen hätte sie geschworen, daß sie ihren Mann durch und durch kannte.

Nun erschien er ihr als ein Fremder, von dem sie nichts wußte. Sie erinnerte sich seines unbegrün-

anger against old George, so at variance with his usual good-tempered manner. A small thing, perhaps, but it showed her that she did not really know the man who was her husband.

There were several little things required on Friday from the village. In the afternoon Alix suggested that she should go for them whilst Gerald remained in the garden; but somewhat to her surprise he opposed this plan vehemently, and insisted on going himself whilst she remained at home. Alix was forced to give way to him, but his insistence surprised and alarmed her. Why was he so anxious to prevent her going to the village?

Suddenly an explanation suggested itself to her which made the whole thing clear. Was it not possible that, whilst saying nothing to her, Gerald had indeed come across Dick Windyford? Her own jealousy, entirely dormant at the time of their marriage, had only developed afterwards. Might it not be the same with Gerald? Might he not be anxious to prevent her seeing Dick Windyford again? This explanation was so consistent with the facts, and so comforting to Alix's perturbed mind, that she embraced it eagerly.

Yet when tea-time had come and passed she was restless and ill at ease. She was struggling with a temptation that had assailed her ever since Gerald's departure. Finally, pacifying her conscience with the assurance that the room did need a thorough tidying, she went upstairs to her husband's dressingroom. She took a duster with her to keep up the pretence of housewifery.

"If I were only sure," she repeated to herself. "If I could only be *sure*."

In vain she told herself that anything compromising would have been destroyed ages ago. Against that she argued that men do sometimes keep the most damning piece of evidence through an exaggerated sentimentality.

deten Zornes über den alten George, der so unvereinbar war mit seinem sonst gutartigen Wesen. Eine Lappalie, vielleicht, doch es zeigte ihr, daß sie den Mann nicht wirklich kannte, der ihr Ehemann war.

Mehrere Kleinigkeiten wurden am Freitag aus dem Dorf benötigt. Nachmittags machte Alix den Vorschlag, daß sie zum Einholen ginge, während Gerald im Garten bliebe; doch ein wenig zu ihrer Überraschung widersetzte er sich heftig diesem Vorhaben und bestand darauf, selber zu gehen, während sie zu Hause bliebe. Alix blieb nichts anderes übrig als ihm nachzugeben, aber seine Beharrlichkeit erstaunte und beunruhigte sie. Warum war er so sehr darauf bedacht zu verhindern, daß sie ins Dorf ginge?

Plötzlich bot sich ihr eine Erleuchtung an, die die ganze Sache erklärte. War es denn nicht möglich, obwohl Gerald nichts zu ihr gesagt hatte, daß er dennoch Dick Windyford begegnet war? Ihre eigene Eifersucht, völlig schlummernd zur Zeit ihrer Heirat, war erst danach entstanden.

Könnte es nicht ebenso bei Gerald sein? Könnte er nicht zu verhindern suchen, daß sie Dick Windyford wieder begegnete? Diese Erklärung stimmte mit den Gegebenheiten so überein und war so beruhigend für Alix' verstörtes Gemüt, daß sie sie bereitwillig und gierig annahm.

Doch als die Teestunde kam und verstrich, wurde sie unruhig und beklommen. Sie kämpfte gegen eine Versuchung, von der sie seit Geralds Weggehen immer wieder bestürmt worden war. Schließlich, als sie ihr Gewissen mit der Beteuerung beruhigte, daß das Zimmer ein gründliches Aufräumen nötig habe, ging sie hinauf in den Ankleideraum ihres Mannes. Sie nahm ein Staubtuch mit sich, um den hausfraulichen Vorwand aufrechtzuerhalten.

«Wenn ich nur Gewißheit hätte», wiederholte sie sich. «Wenn ich nur gewiß sein könnte.»

Umsonst redete sie sich ein, daß irgendein bloßstellender Gegenstand schon vor Jahren zerstört worden wäre. Dagegen stellte sie den Einwand, daß Männer manchmal das allerunwiderleglichste Beweisstück aus hochgesteigerter Gefühlsduselei aufbewahren.

In the end Alix succumbed. Her cheeks burning with the shame of her action, she hunted breathlessly through packets of letters and documents, turned out the drawers, even went through the pockets of her husband's clothes. Only two drawers eluded her; the lower drawer of the chest of drawers and the small right-hand drawer of the writing-desk were both locked. But Alix was by now lost to all shame. In one of those drawers she was convinced that she would find evidence of this imaginary woman of the past who obsessed her.

She remembered that Gerald had left his keys lying carelessly on the sideboard downstairs. She fetched them and tried them one by one. The third key fitted the writing-table drawer. Alix pulled it open eagerly. There was a chequebook and a wallet well stuffed with notes, and at the back of the drawer a packet of letters tied up with a piece of tape.

Her breath coming unevenly, Alix untied the tape. Then a deep burning blush overspread her face, and she dropped the letters back into the drawer, closing and relocking it. For the letters were her own, written to Gerald Martin before she married him.

She turned now to the chest of drawers, more with a wish to feel that she had left nothing undone than from any expectation of finding what she sought.

To her annoyance none of the keys on Gerald's bunch fitted the drawer in question. Not to be defeated, Alix went into the other rooms and brought back a selection of keys with her. To her satisfaction the key of the spare room wardrobe also fitted the chest of drawers. She unlocked the drawer and pulled it open. But there was nothing in it but a roll of newspaper clippings already dirty and discoloured with age.

Alix breathed a sigh of relief. Nevertheless, she glanced at the clippings, curious to know what subject had interested Gerald so much that he had taken the trouble to keep the dusty roll. They were nearly all American papers, dated some seven years ago, and

Am Ende erlag Alix. Ihre Wangen brannten vor Scham über ihr Tun, sie jagte atemlos durch Packen von Briefen und Schriftstücken, zog die Schubladen auf, durchwühlte selbst die Taschen der Anzüge ihres Mannes. Nur zwei Schubladen widersetzten sich ihr; die unterste Schublade der Kommode und die kleine rechte Schublade des Schreibtisches waren beide verschlossen. Doch Alix hatte nun keine Hemmungen mehr. In einer jener Schubladen, davon war sie überzeugt, würde sie den Beweis für diese unbekannte Frau aus der Vergangenheit, die sie quälte, finden.

Sie erinnerte sich, daß Gerald seine Schlüssel achtlos unten auf der Anrichte hatte liegen lassen. Sie holte sie und probierte einen nach dem anderen. Der dritte Schlüssel paßte zur Schublade des Schreibtisches. Alix zog sie gierig auf. Da war ein Scheckheft und eine mit Papiergeld vollgestopfte Brieftasche und im hinteren Teil der Schublade ein Paket Briefe, mit einem Band verschnürt.

Der Atem ging Alix unregelmäßig, als sie das Band aufknotete. Dann überzog ihr Gesicht ein tiefes brennendes Rot, und sie ließ die Briefe zurück in die Schublade gleiten, die sie zuschob und abschloß. Denn diese Briefe waren ihre eigenen, die sie Gerald Martin geschrieben hatte, bevor sie mit ihm verheiratet war.

Sie wandte sich nun der Kommode zu, mehr aus dem Wunschdenken heraus, nichts unterlassen zu haben, als aus irgendeiner Hoffnung, das zu finden, was sie suchte.

Zu ihrem Verdruß paßte zu der fraglichen Schublade keiner der Schlüssel an Geralds Bund. Um sich nicht geschlagen zu geben, ging Alix in die anderen Zimmer und holte von dort eine Auswahl Schlüssel. Zu ihrer Zufriedenheit paßte der Schlüssel vom Kleiderschrank des Gästezimmers auch zur Kommode. Sie öffnete die Schublade und zog sie auf. Doch nichts war darin als eine Rolle Zeitungsausschnitte, bereits angeschmutzt und vom Alter vergilbt.

Ein Seufzer der Erleichterung entrang sich Alix. Trotzdem besah sie sich die Ausschnitte, neugierig, welches Thema Gerald so sehr gereizt haben mochte, daß er sich die Mühe gemacht hatte, die verstaubte Rolle aufzuheben. Es waren fast alles amerikanische Zeitungen von vor etwa sieben Jahren; sie handelten

dealing with the trial of the notorious swindler and bigamist, Charles Lemaitre. Lemaitre had been suspected of doing away with his women victims. A skeleton had been found beneath the floor of one of the houses he had rented, and most of the women he had "married" had never been heard of again.

He had defended himself from the charge with consummate skill, aided by some of the best legal talent in the United States.

The Scottish verdict of "Not Proven" might perhaps have stated the case best. In its absence, he was found Not Guilty on the capital charge, though sentenced to a long term of imprisonment on the other charges preferred against him.

Alix remembered the excitement caused by the case at the time, and also the sensation aroused by the escape of Lemaitre some three years later. He had never been recaptured. The personality of the man and his extraordinary power over women had been discussed at great length in the English papers at the time, together with an account of his excitability in court, his passionate protestations, and his occasional sudden physical collapses, due to the fact that he had a weak heart, though the ignorant accredited it to his dramatic powers.

There was a picture of him in one of the clippings Alix held, and she studied it with some interest – a long-bearded, scholarly-looking gentleman.

Who was it the face reminded her of? Suddenly, with a shock, she realised that it was Gerald himself. The eyes and brow bore a strong resemblance to his. Perhaps he had kept the cutting for that reason. Her eyes went on to the paragraph beside the picture. Certain dates, it seemed, had been entered in the accused's pocket-book, and it was contended that these were dates when he had done away with his victims. Then a woman gave evidence and identified the prisoner positively by the fact that he had a mole on his left wrist, just below the palm of the hand.

vom Prozeß gegen den berüchtigten Hochstapler und Bigamisten Charles Lemaitre. Man hatte Lemaitre verdächtigt, seine weiblichen Opfer beseitigt zu haben. Ein Skelett war unter dem Fußboden eines der Häuser, die er gemietet hatte, gefunden worden, und von den meisten Frauen, die er «geheiratet» hatte, war nie mehr etwas gehört worden.

Er hatte sich gegen diese Beschuldigungen mit vollendetem Geschick verteidigt, unter Beistand eines der größten juristischen Talente der Vereinigten Staaten. Die Schottische Urteilsbegründung «Schuldbeweis nicht erbracht» wäre dem Fall vielleicht am ehesten gerecht geworden. Doch sie war (in Amerika) nicht anwendbar, und so wurde er im Hauptanklagepunkt für «Nicht Schuldig» befunden, doch aufgrund der anderen Anklagepunkte zu einer langen Zuchthausstrafe verurteilt.

Alix erinnerte sich an die Aufregung, die der Fall damals hervorgerufen hatte, und auch an das Aufsehen, das die Flucht Lemaitres etwa drei Jahre später erregte. Er war nie wieder geschnappt worden. Das Wesen dieses Mannes und seine ungewöhnliche Macht über Frauen waren damals ausgiebig in den englischen Zeitungen besprochen worden; zugleich wurde über seine Erregbarkeit vor Gericht, über seine leidenschaftlichen Einsprüche berichtet und über seine gelegentlichen jähen körperlichen Zusammenbrüche, aus seiner Herzschwäche zu erklären, wiewohl Unwissende es seinen schauspielerischen Fähigkeiten zuschrieben.

Auf einem der Ausschnitte, die Alix in die Hand bekam, war ein Bild von ihm, und sie betrachtete es recht eingehend – ein langbärtiger gelehrtenhaft aussehender Herr.

An wen erinnerte sie das Gesicht? Plötzlich, schockartig, wurde sie sich klar, daß es Gerald selbst war. Die Augen und die Stirn zeigten starke Ähnlichkeit zu den seinen. Vielleicht hatte er aus diesem Grund den Ausschnitt aufgehoben. Ihre Augen wanderten zu dem Textteil neben dem Bild. Gewisse Vermerke, schien es, waren im Taschenkalender des Angeklagten eingetragen gewesen, und es wurde behauptet, dies wären die Daten, an denen er seine Opfer beseitigt habe. Dann trat eine Zeugin auf und identifizierte den Häftling einwandfrei durch die Tatsache, daß er ein Muttermal am linken Handgelenk hatte, direkt unterhalb der Handfläche.

Alix dropped the papers and swayed as she stood. *On his left wrist, just below the palm, her husband had a small scar . . .*

The room whirled round her. Afterwards it struck her as strange that she should have leaped at once to such absolute certainty. Gerald Martin was Charles Lemaitre! She knew it, and accepted it in a flash. Disjointed fragments whirled through her brain, like pieces of a jig-saw puzzle fitting into place.

The money paid for the house – her money – her money only; the bearer bonds she had entrusted to his keeping. Even her dream appeared in its true significance. Deep down in her, her subconscious self had always feared Gerald Martin and wished to escape from him. And it was to Dick Windyford this self of hers had looked for help. That, too, was why she was able to accept the truth so easily, without doubt or hesitation. She was to have been another of Lemaitre's victims. Very soon, perhaps . . .

A half-cry escaped her as she remembered something. *Wednesday, 9. p.m.* The cellar, with the flagstones that were so easily raised! Once before he had buried one of his victims in a cellar. It had been all planned for Wednesday night. But to write it down beforehand in that methodical manner – insanity! No, it was logical. Gerald always made a memorandum of his engagements; murder was to him a business proposition like any other.

But what had saved her? What could possibly have saved her? Had he relented at the last minute? No. In a flash the answer came to her – *old George.*

She understood now her husband's uncontrollable anger. Doubtless he had paved the way by telling everyone he met that they were going to London the next day. Then George had come to work unexpectedly, had mentioned London to her, and she had contradicted the story. Too risky to do away with her that night, with old George repeating that conversa-

Alix ließ die Zeitungen fallen und schwankte, als sie aufstand. An seinem linken Handgelenk, gleich unterhalb der Handfläche, hatte ihr Mann eine kleine Narbe...

Das Zimmer um sie drehte sich. Es blieb ihr auch später immer rätselhaft, wie sie sofort bis zur völligen Gewißheit gefolgert haben konnte: Gerald Martin war Charles Lemaitre! Sie wußte es und nahm es blitzartig auf. Zerrissene Bruchstücke wirbelten ihr durch den Kopf, wie Teile eines Puzzlespiels, die zusammenpaßten.

Das für das Haus gezahlte Geld – ihr Geld – nur ihr Geld; die Obligationen, die sie ihm zur Aufbewahrung anvertraut hatte. Sogar ihr Traum erschien in seiner wahren Bedeutung. Tief innen hatte ihr Unterbewußtsein Gerald Martin immer gefürchtet und gewünscht, ihm zu entkommen.

Und bei Dick Windyford hatte dieses innere Selbst nach Hilfe gesucht. Deshalb auch konnte sie die Wahrheit so leicht annehmen, ohne Zweifel und Zögern. Sie sollte das nächste von Lemaitres Opfern werden. Sehr bald, vielleicht...

Fast entfuhr ihr ein Schrei, als ihr etwas einfiel. Mittwoch, 9 Uhr abends. Der Keller mit den Fliesen, die so leicht abgehoben werden konnten. Schon einmal hatte er eines seiner Opfer in einem Keller vergraben.

Es war alles für Mittwoch Nacht geplant gewesen. Doch es im voraus auf eine solch methodische Art aufzunotieren – Irrsinn! Nein, es war einleuchtend. Gerald machte immer einen Vermerk für seine Verabredungen; Mord war für ihn ein Geschäftsvorgang wie jeder andere auch.

Doch was hatte sie gerettet? Was könnte sie möglicherweise gerettet haben? Hatte er in letzter Minute Erbarmen gehabt? Nein. Wie ein Blitz kam ihr die Antwort – der alte George.

Sie verstand nun ihres Mannes unbeherrschten Zorn. Zweifellos hatte er sich den Weg geebnet, indem er jedem, den er traf, erzählte, daß sie am nächsten Tag nach London führen. Dann war George unvorhergesehen zur Arbeit gekommen, hatte ihr gegenüber London erwähnt, und sie hatte die Geschichte bestritten. Zu gewagt wäre es gewesen, sie in jener Nacht zu beseitigen, wenn nämlich der alte George die Unterhaltung wie-

tion. But what an escape! If she had not happened to mention that trivial matter – Alix shuddered.

But there was no time to be lost. She must get away at once – before he came back. She hurriedly replaced the roll of clippings in the drawer, shut it, and locked it.

And then she stayed motionless as though frozen to stone. She had heard the creak of the gate into the road. *Her husband had returned.*

For a moment Alix stayed as though petrified, then she crept on tiptoe to the window, looking out from behind the shelter of the curtain.

Yes, it was her husband. He was smiling to himself and humming a little tune. In his hand he held an object which almost made the terrified girl's heart stop beating. It was a brand-new spade.

Alix leaped to a knowledge born of instinct. *It was to be to-night...*

But there was still a chance. Gerald, humming his little tune, went round to the back of the house.

Without hesitating a moment, she ran down the stairs and out of the cottage. But just as she emerged from the door, her husband came round the other side of the house.

"Hallo," he said, "where are you running off to in such a hurry?"

Alix strove desperately to appear calm and as usual. Her chance was gone for the moment, but if she was careful not to arouse his suspicions, it would come again later. Even now, perhaps...

"I was going to walk to the end of the lane and back," she said in a voice that sounded weak and uncertain in her own ears.

"Right," said Gerald. "I'll come with you."

"No – please, Gerald. I'm – nervy, headachy – I'd rather go alone."

He looked at her attentively. She fancied a momentary suspicion gleamed in his eye.

"What's the matter with you, Alix? You're pale – trembling."

dergäbe. Doch welches Entrinnen! Wenn sie diese Nebensächlichkeit nicht zufällig erwähnt hätte – Alix schauderte.

Es war jetzt keine Zeit zu verlieren. Sie mußte sofort verschwinden – ehe er heimkam. Eilig legte sie die Rolle mit den Ausschnitten in die Schublade zurück, schob sie zu und schloß sie ab.

Und dann stand sie bewegungslos, wie zu Stein erstarrt. Sie hatte das Quietschen des Außengatters gehört. Ihr Mann war zurückgekehrt.

Einen Augenblick stand Alix wie gelähmt, dann schlich sie auf Zehenspitzen zum Fenster und schaute unter dem Schutz des Vorhangs hinaus.

Ja, es war ihr Mann. Er lächelte in sich hinein und summte eine Melodie. In seiner Hand hielt er einen Gegenstand, welcher das Herz des entsetzten Mädchens fast zum Stillstand brachte. Es war ein nagelneuer Spaten.

Alix wurde wie durch Eingebung von einer Erkenntnis gepackt. Heute Nacht sollte es geschehen...

Doch es gab noch einen Ausweg. Gerald, der seine kleine Melodie summte, ging hinten herum, zur Rückseite des Hauses.

Ohne einen Augenblick zu zögern, rannte sie die Treppe hinunter und aus dem Haus.

Doch als sie gerade unter der Tür erschien, kam ihr Mann um die andere Seite des Hauses.

«Hallo», sagte er, «wohin rennst du so eilig?»

Alix bemühte sich verzweifelt, ruhig und unverändert zu wirken. Ihre Gelegenheit war für den Augenblick vertan, doch wenn sie es vermied, sein Mißtrauen zu erregen, würde sich später wieder etwas bieten. Sogar jetzt, vielleicht...

«Ich wollte bis zum Ende des Wegs spazieren und wieder zurück», sagte sie mit einer Stimme, die in ihren eigenen Ohren schwach und ungewiß klang.

«Gut», sagte Gerald. «Ich begleite dich.»

«Nein – bitte, Gerald. Ich bin – kribbelig, habe Kopfschmerzen – ich möchte lieber allein gehen.»

Er sah sie aufmerksam an. Sie glaubte einen flüchtigen Argwohn in seinen Augen aufglimmen zu sehen.

«Was ist mit dir los, Alix? Du bist blaß – zitterst.»

"Nothing." She forced herself to be brusque – smiling. "I've got a headache, that's all. A walk will do me good."

"Well, it's no good your saying you don't want me," declared Gerald, with his easy laugh. "I'm coming, whether you want me or not."

She dared not protest further. If he suspected that she *knew* ...

With an effort she managed to regain something of her normal manner. Yet she had an uneasy feeling that he looked at her sideways every now and then, as though not quite satisfied. She felt that his suspicions were not completely allayed.

When they returned to the house he insisted on her lying down, and brought some eau-de-Cologne to bathe her temples. He was, as ever, the devoted husband. Alix felt herself as helpless as though bound hand and foot in a trap.

Not for a minute would he leave her alone. He went with her into the kitchen and helped her to bring in the simple cold dishes she had already prepared. Supper was a meal that choked her, yet she forced herself to eat, and even to appear gay and natural. She knew now that she was fighting for her life. She was alone with this man, miles from help, absolutely at his mercy. Her only chance was so to lull his suspicions that he would leave her alone for a few moments – long enough for her to get to the telephone in the hall and summon assistance. That was her only hope now.

A momentary hope flashed over her as she remembered how he had abandoned his plan before. Suppose she told him that Dick Windyford was coming up to see them that evening?

The words trembled on her lips – then she rejected them hastily. This man would not be baulked a second time. There was a determination, an elation, underneath his calm bearing that sickened her. She would only precipitate the crime. He would murder her there and then, and calmly ring up Dick Windyford with

«Nichts.» Sie zwang sich, kurz angebunden zu sein – lächelnd. «Ich habe Kopfschmerzen, das ist alles. Ein Gang wird mir gut tun.»

«Nun, es ist nicht schön, wenn du sagst, daß du mich nicht bei dir haben möchtest», erklärte Gerald mit seinem unbekümmerten Lachen. «Ich komme mit, ob du's wünschst oder nicht.»

Sie wagte nicht länger zu widersprechen. Wenn er ahnte, daß sie wußte...

Mit Anstrengung schaffte sie es, etwas von ihrem natürlichen Verhalten zurückzugewinnen. Trotzdem hatte sie das beklemmende Gefühl, daß er sie ab und zu von der Seite anschaute, so als sei er nicht völlig beruhigt. Sie fühlte, daß sein Mißtrauen sich noch nicht gänzlich gelegt hatte.

Als sie zum Haus zurückkehrten, bestand er darauf, daß sie sich niederlegte und brachte etwas Kölnisch Wasser, um ihre Schläfen zu kühlen. Er war, wie immer, der fürsorgliche Ehemann. Alix fühlte sich so hilflos, als ob sie mit Händen und Füßen in einer Falle steckte.

Nicht eine Minute wollte er sie allein lassen. Er ging mit in die Küche und half ihr, die einfachen kalten Gerichte, die sie schon vorbereitet hatte, hereinzutragen. Das Abendbrot machte sie würgen, trotzdem zwang sie sich zu essen und sogar fröhlich und natürlich zu wirken. Sie wußte jetzt, daß sie um ihr Leben kämpfte. Sie war mit diesem Mann allein, meilenweit entfernt von Hilfe, völlig in seiner Gewalt. Für sie bestand nur die Möglichkeit, sein Mißtrauen einzuschläfern, damit er sie für wenige Augenblicke allein ließe – lang genug, damit sie zum Telefon in der Halle gelangen könnte, um Hilfe herbeizurufen. Das war jetzt ihre einzige Hoffnung.

Eine kurze Hoffnung durchzuckte sie, als sie sich erinnerte, wie er seinen Plan schon einmal fallengelassen hatte. Angenommen sie würde ihm sagen, daß Dick Windyford sie heute Abend besuchen würde?

Die Worte zitterten schon auf ihren Lippen – sie verwarf sie dann aber hastig. Dieser Mann würde sich kein zweites Mal aufhalten lassen. Es lag etwas so Entschlossenes, so Erregtes unter seinem ruhigen Verhalten verborgen, daß ihr übel wurde. Sie würde das Verbrechen nur beschleunigen. Er würde sie hier und jetzt ermorden und dann seelenruhig Dick Windyford an-

a tale of having been suddenly called away. Oh! if only Dick Windyford were coming to the house this evening! If Dick...

A sudden idea flashed into her mind. She looked sharply sideways at her husband as though she feared that he might read her mind. With the forming of a plan, her courage was reinforced. She became so completely natural in manner that she marvelled at herself.

She made the coffee and took it out to the porch where they often sat on fine evenings.

"By the way," said Gerald suddenly, "we'll do those photographs later."

Alix felt a shiver run through her, but she replied nonchalantly, "Can't you manage alone? I'm rather tired tonight."

"It won't take long." He smiled to himself. "And I can promise you you won't be tired afterwards."

The words seemed to amuse him. Alix shuddered. Now or never was the time to carry out her plan.

She rose to her feet.

"I'm just going to telephone to the butcher," she announced nonchalantly. "Don't you bother to move."

"To the butcher? At this time of night?"

"His shop's shut, of course, silly. But he's in his house all right. And to-morrow's Saturday, and I want him to bring me some veal cutlets early, before someone else grabs them off him. The old dear will do anything for me."

She passed quickly into the house, closing the door behind her. She heard Gerald say, "Don't shut the door," and was quick with her light reply, "It keeps the moths out. I hate moths. Are you afraid I'm going to make love to the butcher, silly?"

Once inside, she snatched down the telephone receiver and gave the number of the Traveller's Arms. She was put through at once.

"Mr. Windyford? Is he still there? Can I speak to him?"

rufen mit der Ausrede, plötzlich abberufen worden zu sein. Oh! wenn nur Dick Windyford heute Abend zum Haus kommen würde! Wenn Dick...

Eine plötzliche Eingebung schoß ihr durch den Kopf. Sie schaute kurz von der Seite auf ihren Mann, als ob sie fürchtete, er könne ihre Gedanken lesen. Mit dem Ersinnen eines Plans war ihr Mut wieder belebt. Sie wurde so vollständig natürlich in ihrem Benehmen, daß sie über sich selbst staunte.

Sie bereitete den Kaffee und trug ihn auf die Veranda hinaus, wo sie häufig an schönen Abenden saßen.

«Übrigens», sagte Gerald plötzlich, «wir wollen nachher diese Fotosachen machen.»

Alix fühlte sich von einem Zittern geschüttelt, doch sie antwortete gelassen: «Schaffst du es nicht allein? Ich bin ziemlich müde heute Abend.»

«Es wird nicht lange dauern.» Er lächelte vor sich hin. «Und ich kann dir versprechen, daß du danach nicht müde sein wirst.»

Die Worte schienen ihm Vergnügen zu bereiten. Alix schauderte. Jetzt oder nie war die Zeit gekommen, ihren Plan auszuführen.

Sie erhob sich.

«Ich gehe nur schnell den Metzger anrufen», sagte sie unbekümmert. «Bleib du nur ruhig sitzen.»

«Den Metzger? Um diese Abendzeit?»

«Sein Laden ist geschlossen, natürlich, du Dummer. Aber er ist doch in seinem Haus zu erreichen. Morgen ist Samstag, und ich möchte, daß er mir zeitig einige Kalbskoteletts bringt, bevor sie mir jemand anders bei ihm wegschnappt. Der gute Alte würde alles für mich tun.»

Sie schritt eilig ins Haus und schloß die Tür hinter sich. Sie hörte Gerald sagen: «Mach die Tür nicht zu», und beeilte sich mit ihrer munteren Antwort: «Es hält die Nachtfalter draußen. Ich hasse Nachtfalter. Hast du Angst, daß ich dem Metzger eine Liebeserklärung mache, Dummer du?»

Einmal drinnen, schnappte sie sich den Telefonhörer und gab die Nummer vom «Traveller's Arms» durch. Sie wurde sogleich verbunden.

«Mr. Windyford? Ist er noch da? Kann ich ihn bitte sprechen?»

Then her heart gave a sickening thump. The door was pushed open and her husband came into the hall.

"Do go away, Gerald," she said pettishly. "I hate anyone listening when I'm telephoning."

He merely laughed and threw himself into a chair.

"Sure it really is the butcher you're telephoning to?" he quizzed.

Alix was in despair. Her plan had failed. In a minute Dick Windyford would come to the 'phone. Should she risk all and cry out an appeal for help?

And then, as she nervously depressed and released the little key in the receiver she was holding, which permits the voice to be heard or not heard at the other end, another plan flashed into her head.

"It will be difficult," she thought to herself. "It means keeping my head, and thinking of the right words, and not faltering for a moment, but I believe I could do it. I *must* do it."

And at that minute she heard Dick Windyford's voice at the other end of the 'phone.

Alix drew a deep breath. Then she depressed the key firmly and spoke.

"*Mrs. Martin speaking — from Philomel Cottage. Please come* (she released the key) to-morrow morning with six nice veal cutlets (she depressed the key again). *It's very important* (she released the key). Thank you so much, Mr. Hexworthy; you don't mind my ringing you up so late, I hope, but those veal cutlets are really a matter of (she depressed the key again) *life or death* (she released it). Very well — tomorrow morning (she depressed it) *as soon as possible*."

She replaced the receiver on the hook and turned to face her husband, breathing hard.

"So that's how you talk to your butcher, is it?" said Gerald.

"It's the feminine touch," said Alix lightly.

She was simmering with excitement. He had suspected nothing. Dick, even if he didn't understand, would come.

Dann tat ihr Herz einen abscheulichen Sprung. Die Tür wurde aufgestoßen und ihr Mann trat in die Halle.

«Nun geh doch, Gerald», sagte sie schmollend, «ich hasse es, wenn mir jemand beim Telefonieren zuhört.»

Er lachte bloß und warf sich in einen Sessel.

«Bist du sicher, daß du wirklich mit dem Metzger telefonierst?» spottete er.

Alix war verzweifelt. Ihr Plan war gescheitert. In einer Minute würde Dick Windyford am Apparat sein. Sollte sie alles aufs Spiel setzen und einen Hilferuf ausstoßen?

Dann aber, als sie vor Aufregung den kleinen Schlüssel am Hörer in ihrer Hand herunterdrückte und wieder ausließ, was bewirkt, daß die Stimme am anderen Ende gehört oder nicht gehört werden kann, blitzte plötzlich ein anderer Plan durch ihr Gehirn.

«Es wird schwierig sein», dachte sie bei sich. «Ich darf nicht kopflos werden, und die richtigen Worte müssen mir einfallen, und nicht einen Augenblick darf ich zögern, doch ich glaube, ich könnte es schaffen. Ich muß es.»

Und gleich darauf hörte sie Dick Windyford's Stimme am anderen Ende des Telefons.

Alix holte tief Atem. Dann drückte sie ohne zu zittern auf den Schlüssel und redete.

«*Mrs. Martin am Apparat – vom Landhaus Philomele. Bitte kommen Sie* (sie ließ den Schlüssel aus) morgen früh mit sechs sehr schönen Kalbskotletts (sie drückte wieder auf den Schlüssel). *Es ist sehr wichtig* (sie löste den Schlüssel). Vielen, vielen Dank, Mr. Hexworthy, ich hoffe, es stört Sie nicht, daß ich Sie so spät anrufe, aber mit den Kalbskotletts ist es so, als handelte es sich um (sie drückte wieder den Schlüssel) *Leben oder Tod* (sie löste ihn wieder). Sehr gut – morgen früh (sie drückte ihn wieder) *so bald wie möglich.*»

Sie hängte den Hörer zurück auf die Gabel und wandte sich schweratmend um, ihren Mann anzuschauen.

«So also sprichst du mit deinem Metzger, ja?» sagte Gerald.

«Das ist weibliche Finesse», sagte Alix leichthin.

In ihr brodelte es vor Erregung. Er hatte nichts geargwöhnt. Dick würde kommen, selbst wenn er nichts begriffen hatte.

She passed into the sitting-room and switched on the electric light. Gerald followed her.

"You seem very full of spirits now?" he said, watching her curiously.

"Yes," said Alix. "My headache's gone."

She sat down in her usual seat and smiled at her husband as he sank into his own chair opposite her. She was saved. It was only five and twenty past eight. Long before nine o'clock Dick would have arrived.

"I didn't think much of that coffee you gave me," complained Gerald. "It tasted very bitter."

"It's a new kind I was trying. We won't have it again if you don't like it, dear."

Alix took up a piece of needlework and began to stitch. Gerald read a few pages of his book. Then he glanced up at the clock and tossed the book away.

"Half-past eight. Time to go down to the cellar and start work."

The sewing slipped from Alix's fingers.

"Oh, not yet. Let us wait until nine o'clock."

"No, my girl – half-past eight. That's the time I fixed. You'll be able to get to bed all the earlier."

"But I'd rather wait until nine."

"You know when I fix a time I always stick to it. Come along, Alix. I'm not going to wait a minute longer."

Alix looked up at him, and in spite of herself she felt a wave of terror slide over her. The mask had been lifted. Gerald's hands were twitching, his eyes were shining with excitement, he was continually passing his tongue over his dry lips. He no longer cared to conceal his excitement.

Alix thought, "It's true – *he can't wait* – he's like a madman."

He strode over to her, and jerked her on to her feet with a hand on her shoulder.

"Come on, my girl – or I'll carry you there."

His tone was gay, but there was an undisguised ferocity behind it that appalled her. With a supreme

Sie ging hinüber in den Wohnraum und schaltete das elektrische Licht ein. Gerald folgte ihr.

«Du scheinst jetzt fröhlicher Laune zu sein?» sagte er und beobachtete sie neugierig.

«Ja», sagte Alix. «Meine Kopfschmerzen sind weg.»

Sie setzte sich auf ihren gewohnten Platz und lächelte ihren Mann an, als er in seinen eigenen Sessel ihr gegenüber sank. Sie war gerettet. Es war erst fünfundzwanzig nach acht. Lange vor neun Uhr würde Dick eingetroffen sein.

«Der Kaffee war nicht so besonders, den du mir angeboten hast», beklagte sich Gerald. «Er schmeckte sehr bitter.»

«Ich habe eine neue Sorte ausprobiert. Wir werden sie nicht wieder nehmen, wenn sie dir nicht schmeckt, Liebster.»

Alix nahm eine Handarbeit auf und begann zu nähen. Gerald las ein paar Seiten seines Buches. Dann schaute er hoch auf die Uhr und warf das Buch zur Seite.

«Halb neun. Zeit um in den Keller zu gehen und mit der Arbeit zu beginnen.»

Die Näharbeit glitt Alix aus den Fingern.

«Oh, nicht jetzt schon. Laß uns bis neun Uhr warten.»

«Nein, mein Mädchen – halb neun. Zu dieser Zeit habe ich es festgesetzt. Du wirst um so eher ins Bett kommen.»

«Ich würde aber lieber bis neun Uhr warten.»

«Du weißt, wenn ich eine Zeit festlege, dann halte ich sie ein. Komm schon, Alix. Ich werde nicht eine Minute länger warten.»

Alix schaute zu ihm auf, und ohne etwas dagegen machen zu können, spürte sie, wie eine Woge des Entsetzens über ihr zusammenbrach. Die Maske war gefallen. Geralds Hände zuckten, seine Augen glänzten vor Erregung, beständig strich seine Zunge über die trockenen Lippen. Er mühte sich nicht weiter, seine Erregung zu verbergen.

Alix dachte: «Es ist wahr – er kann nicht warten – er ist wie ein Wahnsinniger.»

Er schritt auf sie zu und riß sie mit der Hand an ihrer Schulter auf die Füße.

«Komm schon, mein Mädchen – oder ich trage dich hin.»

Sein Ton war fröhlich, doch eine unverhohlene Wildheit klang hindurch, die sie entsetzte. Mit übermäßiger Anstrengung

effort she jerked herself free and clung cowering against the wall. She was powerless. She couldn't get away – she couldn't do anything – and he was coming towards her.

"Now, Alix –"

"No – no."

She screamed, her hands held out impotently to ward him off.

"Gerald – stop – I've got something to tell you, something to confess –"

He did stop.

"To confess?" he said curiously.

"Yes, to confess." She had used the words at random, but she went on desperately, seeking to hold his arrested attention.

A look of contempt swept over his face.

"A former lover, I suppose," he sneered.

"No," said Alix. "Something else. You'd call it, I expect – yes, you'd call it a crime."

And at once she saw that she had struck the right note. Again his attention was arrested, held. Seeing that, her nerve came back to her. She felt mistress of the situation once more.

"You had better sit down again," she said quietly.

She herself crossed the room to her old chair and sat down. She even stooped and picked up her needlework. But behind her calmness she was thinking and inventing feverishly; for the story she invented must hold his interest until help arrived.

"I told you," she said slowly, "that I had been a shorthand-typist for fifteen years. That was not entirely true. There were two intervals. The first occurred when I was twenty-two. I came across a man, an elderly man with a little property. He fell in love with me and asked me to marry him. I accepted. We were married." She paused. "I induced him to insure his life in my favour."

She saw a sudden keen interest spring up in her husband's face, and went on with renewed assurance:

machte sie sich frei und lehnte geduckt gegen die Wand. Sie war machtlos.

Sie konnte nicht entkommen – sie konnte überhaupt nichts tun – und er kam auf sie zu.

«Nun, Alix –»

«Nein – nein.»

Sie schrie, ihre Hände kraftlos ausgestreckt, um ihn abzuwehren.

«Gerald – halt – ich habe dir etwas zu sagen, etwas zu beichten...»

Er blieb wirklich stehen.

«Beichten?» sagte er neugierig.

«Ja, beichten.» Sie hatte diese Worte aufs Geratewohl gesagt, doch sie fuhr verzweifelt fort, um seine erregte Aufmerksamkeit wach zu halten.

Ein Ausdruck der Geringschätzung fuhr über sein Gesicht.

«Ein ehemaliger Liebster, nehme ich an», spöttelte er.

«Nein», sagte Alix. «Etwas anderes. Du würdest es, glaube ich – ja, du würdest es ein Verbrechen nennen.»

Und sofort sah sie, daß sie den richtigen Ton getroffen hatte. Wiederum war seine Aufmerksamkeit geweckt, gefesselt. Als sie das sah, kehrte ihre Energie zurück. Sie fühlte sich noch einmal Herr der Lage.

«Du setzt dich lieber wieder hin», sagte sie leise.

Sie selbst ging durchs Zimmer zu ihrem gewohnten Platz und ließ sich nieder. Sie bückte sich sogar und nahm ihre Nadelarbeit wieder auf. Doch hinter ihrer Gelassenheit überlegte und erfand sie fieberhaft; denn die Geschichte, die sie erfand, mußte ihn fesseln bis Hilfe eintraf.

«Ich erzählte dir», sagte sie langsam, «daß ich seit fünfzehn Jahren Stenotypistin gewesen sei. Das war nicht so ganz wahr. Es gab zwei Unterbrechungen. Die erste kam, als ich zweiundzwanzig war. Mir begegnete ein Mann, ein älterer Mann mit einem kleinen Vermögen. Er verliebte sich in mich und bat mich, ihn zu heiraten. Ich nahm an. Wir wurden getraut.» Sie hielt inne. «Ich veranlaßte ihn, zu meinen Gunsten eine Lebensversicherung abzuschließen.»

Sie sah eine plötzliche heftige Neugier auf dem Gesicht ihres Mannes hochschießen und fuhr mit belebter Zuversicht fort:

"During the war I worked for a time in a hospital dispensary. There I had the handling of all kinds of rare drugs and poisons."

She paused reflectively. He was keenly interested now, not a doubt of it. The murderer is bound to have an interest in murder. She had gambled on that, and succeeded. She stole a glance at the clock. It was five and twenty to nine.

"There is one poison – it is a little white powder. A pinch of it means death. You know something about poisons perhaps?"

She put the question in some trepidation. If he did, she would have to be careful.

"No," said Gerald; "I know very little about them."

She drew a breath of relief.

"You have heard of hyoscine, of course? This is a drug that acts much the same way, but is absolutely untraceable. Any doctor would give a certificate of heart failure. I stole a small quantity of this drug and kept it by me."

She paused, marshalling her forces.

"Go on," said Gerald.

"No. I'm afraid. I can't tell you. Another time."

"Now," he said impatiently. "I want to hear."

"We had been married a month. I was very good to my elderly husband, very kind and devoted. He spoke in praise of me to all the neighbours. Everyone knew what a devoted wife I was. I always made his coffee myself every evening. One evening, when we were alone together, I put a pinch of the deadly alkaloid in his cup –"

Alix paused, and carefully re-threaded her needle. She, who had never acted in her life, rivalled the greatest actress in the world at this moment. She was actually living the part of the cold-blooded poisoner.

"It was very peaceful. I sat watching him. Once he gasped a little and asked for air. I opened the window. Then he said he could not move from his chair. *Presently he died.*"

«Während des Krieges arbeitete ich eine Zeitlang in einer Krankenhausapotheke. Dort hatte ich Berührung mit allen Arten seltener Drogen und Gifte.»

Sie zögerte nachdenklich. Er war jetzt brennend interessiert, da bestand kein Zweifel. Der Mörder kann nicht anders als wißbegierig bei Mord zu sein. Darauf hatte sie gesetzt, mit Erfolg. Sie blickte verstohlen auf die Uhr. Es war fünfundzwanzig Minuten vor neun.

«Es gibt ein Gift – ein kleines weißes Pulver. Ein Quentchen davon bedeutet Tod. Du weißt vielleicht etwas über Gifte?»

Sie stellte die Frage mit einiger Besorgnis. Wenn er es täte, würde sie vorsichtig sein müssen.

«Nein», sagte Gerald, «ich kenne mich da nur wenig aus.»

Sie atmete erleichtert auf.

«Du hast aber sicherlich schon von Hyscin gehört. Das ist ein Medikament, das ziemlich ähnlich wirkt, jedoch völlig unnachweisbar ist. Jeder Arzt würde eine Bescheinigung auf Herzversagen ausstellen. Ich stahl eine kleine Menge dieser Droge und hob sie mir auf.»

Sie zögerte, sammelte ihre Kräfte.

«Mach weiter», sagte Gerald.

«Nein. Ich scheue mich. Ich kann es dir nicht sagen. Ein andermal.»

«Jetzt», sagte er ungeduldig. «Ich will es hören.»

«Wir waren einen Monat lang verheiratet. Ich war sehr brav zu meinem ältlichen Gemahl, sehr lieb und ergeben. Zu allen Nachbarn sprach er über mich mit großem Lob. Jeder wußte, was für eine fürsorgliche Ehefrau ich war. Immer bereitete ich seinen Abendkaffee selbst. Eines Abends, als wir beide allein waren, tat ich ein Quentchen des tödlichen Alkaloids in seine Tasse –»

Alix schwieg und zog sorgfältig den Faden durch die Nadel. Sie, die niemals in ihrem Leben geschauspielert hatte, übertraf in diesem Augenblick die größte Schauspielerin der Welt. Sie lebte tatsächlich die Rolle der kaltblütigen Giftmischerin.

«Es war sehr friedlich. Ich saß und beobachtete ihn. Einmal keuchte er ein wenig und verlangte nach Luft. Ich öffnete das Fenster. Dann sagte er, daß er sich nicht aus seinem Sessel bewegen könne. Gleich darauf starb er.»

She stopped, smiling. It was a quarter to nine. Surely they would come soon.

"How much," said Gerald, "was the insurance money?"

"About two thousand pounds. I speculated with it, and lost it. I went back to my office work. But I never meant to remain there long. Then I met another man. I had stuck to my maiden name at the office. He didn't know I had been married before. He was a younger man, rather good-looking, and quite well-off. We were married quietly in Sussex. He didn't want to insure his life, but of course he made a will in my favour. He liked me to make his coffee myself just as my first husband had done."

Alix smiled reflectively, and added simply, "I make very good coffee."

Then she went on:

"I had several friends in the village where we were living. They were very sorry for me, with my husband dying suddenly of heart failure one evening after dinner. I didn't quite like the doctor. I don't think he suspected me, but he was certainly very surprised at my husband's sudden death. I don't quite know why I drifted back to the office again. Habit, I suppose. My second husband left about four thousand pounds. I didn't speculate with it this time; I invested it. Then, you see –"

But she was interrupted. Gerald Martin, his face suffused with blood, half-choking, was pointing a shaking forefinger at her.

"The coffee – my God! the coffee!"

She stared at him.

"I understand now why it was bitter. You devil! You've been up to your tricks again."

His hands gripped the arms of his chair. He was ready to spring upon her.

"You've poisoned me."

Alix had retreated from him to the fireplace. Now, terrified, she opened her lips to deny – and then

Lächelnd machte sie eine Pause. Es war viertel vor neun. Sicherlich würden sie bald kommen.

«Wie hoch», sagte Gerald, «war die Versicherungssumme?»

«Ungefähr zweitausend Pfund. Ich spekulierte damit und verlor sie. Ich ging zurück ins Büro arbeiten. Doch hatte ich nie vor, dort lange zu bleiben. Dann traf ich einen anderen Mann. Ich hatte im Büro meinen Mädchennamen beibehalten. Er wußte nicht, daß ich schon einmal verheiratet war. Ein junger Mann, ziemlich gutaussehend und recht wohlhabend. Wir wurden in aller Stille in Sussex getraut. Er wollte keine Lebensversicherung abschließen, doch machte er selbstverständlich ein Testament zu meinen Gunsten. Er hatte es gerne, wenn ich selbst seinen Kaffee bereitete, genauso wie mein erster Mann.»

Alix lächelte nachdenklich und fügte schlicht hinzu: «Ich koche einen sehr guten Kaffee.»

Dann fuhr sie fort.

«Ich hatte verschiedene Freunde in dem Dorf, wo wir lebten. Sie hatten großes Mitleid mit mir, deren Mann so plötzlich an einer Herzschwäche eines Abends nach dem Essen starb. Der Arzt war mir nicht sehr angenehm. Ich glaube nicht, daß er mich verdächtigte, doch er war entschieden überrascht vom plötzlichen Tod meines Mannes.

Ich weiß eigentlich nicht, warum es mich zurück ins Büro trieb. Gewohnheit, vermutlich. Mein zweiter Mann hinterließ ungefähr viertausend Pfund. Dieses Mal spekulierte ich nicht damit; ich legte sie an. Dann, siehst du –»

Doch weiter kam sie nicht. Mit hochrotem Gesicht, halb keuchend, deutete Gerald Martin mit flatterndem Zeigefinger auf sie.

«Der Kaffee – mein Gott! der Kaffee!»

Sie starrte ihn an.

«Jetzt verstehe ich, warum er bitter war. Du Teufelin! Du hast wieder dein Ränkespiel getrieben.»

Seine Hände umklammerten die Stuhllehnen. Er war sprungbereit, sich auf sie zu stürzen.

«Du hast mich vergiftet.»

Alix war zum Kamin vor ihm zurückgewichen. Jetzt, entsetzt, öffnete sie die Lippen um zu leugnen – und dann zögerte

paused. In another minute he would spring upon her. She summoned all her strenght. Her eyes held his steadily, compellingly.

"Yes," she said. "I poisoned you. Already the poison is working. At this minute you can't move from your chair – you can't move –"

If she could keep him there – even a few minutes . . .

Ah, what was that? Footsteps on the road. The creak of the gate. Then footsteps on the path outside. The outer door opening.

"You can't move," she said again.

Then she slipped past him and fled headlong from the room to fall fainting into Dick Windyford's arms.

"My God! Alix," he cried.

Then he turned to the man with him, a tall stalwart figure in policeman's uniform.

"Go and see what's been happening in that room."

He laid Alix carefully down on a couch and bent over her.

"My little girl," he murmured. "My poor little girl. What have they been doing to you?"

Her eyelids fluttered and her lips just murmured his name.

Dick was aroused by the policeman's touching him on the arm.

"There's nothing in that room, sir, but a man sitting in a chair. Looks as though he'd had some kind of bad fright, and –"

"Yes?"

"Well, sir, he's – dead."

They were startled by hearing Alix's voice. She spoke as though in some kind of dream, her eyes still closed.

"And presently," she said, almost as though she were quoting from something, *"he died –"*

sie. Im nächsten Augenblick würde er sich auf sie werfen. Sie sammelte alle ihre Kraft. Ihre Augen bezwangen unwiderstehlich die seinen.

«Ja», sagte sie. «Ich habe dich vergiftet. Das Gift fängt schon an zu wirken. Genau jetzt kannst du dich nicht mehr aus dem Sessel bewegen – du kannst dich nicht bewegen –»

Wenn sie ihn dort halten könnte – nur wenige Minuten...

Ah! was war das? Schritte auf der Straße. Das Quietschen des Gatters. Dann Schritte draußen auf dem Pfad. Die Außentür wurde geöffnet.

«Du kannst dich nicht bewegen», sagte sie wieder.

Dann schlüpfte sie an ihm vorbei, floh kopfüber aus dem Zimmer und sank ohnmächtig in die Arme Dick Windyfords.

«Mein Gott! Alix», rief er.

Dann wandte er sich zu dem Mann neben ihm, einer großen kräftigen Gestalt in Polizeiuniform.

«Gehen Sie nachsehen, was in diesem Zimmer vorgefallen ist.»

Er bettete Alix sorgfältig auf ein Sofa und beugte sich über sie.

«Mein kleines Mädchen», murmelte er. «Mein armes kleines Mädchen. Was hat man dir angetan?»

Ihre Augenlider flogen und ihre Lippen murmelten nur seinen Namen.

Dick wurde von dem Polizisten aufgerüttelt, der ihn am Arm berührte.

«In diesem Zimmer ist nichts weiter, mein Herr, als ein Mann, der in einem Sessel sitzt. Sieht aus, als hätte er so was wie einen fürchterlichen Schock erlitten, und...»

«Ja?»

«Nun, mein Herr, er ist – tot.»

Sie wurden durch Alix' Stimme überrascht. Sie sprach, als sei sie wie in einem Traum, mit noch geschlossenen Augen.

«Und gleich darauf», sagte sie, fast als ob sie etwas zitieren wollte, «starb er...»

Nun sind Sie mit der letzten Geschichte fertig, haben zurückgelesen – wie war das genau mit dem Telefon und der Taste? Wie war das genau mit dem Kaffee? Hat Alix etwas wirklich? Aber nein doch, natürlich nicht! – und Sie haben lächelnd Dame Agatha mit einem tiefen Diener oder Knicks gegrüßt.

Bei einer Tasse – heute lieber – Tee planen Sie nun die nächste englisch-deutsche Lektüre.

Sie möchten wieder Herzklopfen bekommen? Dürfen wir fragen, auf welchem Niveau?

Regelrecht garstig oder makaber (Sie werden zu Komplizen!) sind die Erzählungen von Sidney Caroll und John Collier in

Sense of Humour / Amerikanische Kurzgeschichten. Runyan, Lardner, Carroll, White, Collier, Jaffe, Brown. – dtv 9283

Klassische Detektivarbeit, die immer ein Stück gestörte Welt in Ordnung bringt, leistet Sherlock Holmes, moderat aufregend, in

Arthur Conan Doyle: Four Penny Shockers / Vier kurze Krimis. – dtv 9235

Zweifel an der Verläßlichkeit der Menschennatur, auch der Ihren, weckt das grandios erschreckende Buch

Edgar Allan Poe: Six Great Stories / Meistererzählungen. – dtv 9302

Kriminalfälle, in die jeweils ein einfacher oder beschränkter, zu Herzen gehend guter Mensch verwickelt ist, werden diesmal vom District Attorney zur Klärung geführt in

William Faulkner: Four Great Stories / Vier Meistererzählungen. – dtv 9271

Ungeheuer spannend, männlich-heroisch (nur «Grit of Women» überragt alles Mannsbilder-Heldentum), buchstäblich sagenhaft sind

Jack London: Seven Great Stories / Sieben Meistererzählungen. – dtv 9227

Ganz was anderes, gar nicht kriminell, doch so minutiös genau gefügt wie ein Krimi – eine wunderschöne Erzählung, in der alle, alle Fragen eine freundliche Antwort finden, ist

Rumer Godden: The Story of Holly and Ivy / Eine Kinderweihnachtsgeschichte. Illustriert. – dtv 9290

– die macht auch Herzklopfen. (Sie brauchen sich nicht zu schämen.)

Am besten informieren Sie sich über die ganze Reihe dtv zweisprachig! Allein englisch-deutsch gibt es derzeit vierzig Bände. Der Deutsche Taschenbuch Verlag schickt Ihnen gern ein Verzeichnis (Postfach 40 04 22, D-8000 München 40).